言葉をまじめに勉強するのもいいけれど、
こうして好きな人と言葉を楽しむようにすれば、
その関係をもっと円満にできるかもしれない。
これはそんな思いでつくった本です。
「ダーリンの頭ン中」へようこそ。
靴を脱いで、お上がりください。

トニー・ラズロ

トニーの頭ン中に
うずまいていると
思われる
語学にまつわる
アレコレです。
ぜひ一緒に覗いて
みてください。

ダーリンの頭ン中
英語と語学

vol.1
テンションって、あがるもの？

Turn up the Tension

うちで
よくある光景《こうけい》
パソコン
…
…漫画《まんが》…描《か》けないの…？
パソコン
んー…
地獄からの声
もーダメだ…私《わたし》の漫画《まんが》家《か》生命《せいめい》も終《お》わりだ…
短かったなー漫画人生…
そんなことないでしょー？
どお？気分《きぶん》転換《てんかん》に…踊《おど》る？
はぁ？
なんだそりゃ
そんなことする気《き》もおこらんつーの
まあまあ

ラララ～ ララ～～～♪
やめて よー… こんな テンション 低《ひく》いのに…
リラーックス～
私が起きあがらないので ムリヤリ ゆれているだけ
やめ…
ハッ
アレを アアして コウする…!!
ピーン
話《はなし》が できた…!
ばんざーい ばんざーい
わ、
テンション あがって きたー!!
よかったね
よくわからんが
さーて 描《か》くぞー…
あれ?
私《わたし》の シャーペンが ないっ…

あるでしょー その辺《へん》に…
さっき倒れてたとことか
ない… 不吉《ふきつ》…
どーん
よく考《かんが》えたら 今思《いまおも》いついた話《はなし》も 全然面白《ぜんぜんおもしろ》くない 気《き》がしてきた…
ずる
1コマめへ 戻る
テンションうなぎさがり
ごめん… トニー こんなテンション あがったりさがったりの 私《わたし》で…
…というか
オラァ ダメ人間…
テンションが あがるって どういう 意味《いみ》？
え… 英語《えいご》では そう 言《い》わないん だ…？
テンションって 張《は》られる状態《じょうたい》の ものでしょ？
張《は》られる？ どういう 意味《いみ》？
だって テンションって さあ…
むくっ

私《わたし》の中《なか》の「テンション」のイメージ
通常時
テンション
「テンション」あがった!!
グーーッ
へーーーえ
なんでなんで？
じゃあどういう意味《いみ》？
んーとね…
ココがpoint
「テンション」と聞《き》いてまず思《おも》いうかべるのは緊張感《きんちょうかん》
ピーン
糸が張ってる感じ
だから「テンション」は上《あ》がるんじゃなくて「増《ま》す」「高《たか》まる」という感覚《かんかく》
ビビーン
ますます張って バクハツしそう

または綱渡《つなわた》りの綱《つな》が張《は》ってるところを思《おも》いうかべるね
あと筋肉とか
全部「張る」イメージ
じゃあ何《なん》で日本《にほん》では「気分《きぶん》が高《たか》まる」みたいに使《つか》われてるのかな？「ハイテンション」とか言《い》うんだけど…
「ハイテンション」か…それはあるときにのみ使《つか》うね
へー何《なに》？
ボルテージ
↑なんかわからないがイメージイラスト
電気《でんき》に関《かん》してボルテージが高《たか》いことを「ハイテンション」って言《い》うね
それかー！その意味《いみ》が伝《つた》わったんだー
ポン
なるほどねぇでもその意味《いみ》は意識《いしき》としては下《した》の方《ほう》だなー
「ハイテンション」のみでは使わないし
ハイテンションライン（高圧電線）とか
まあ一種《いっしゅ》の「和製英語《わせいえいご》」なのかもね

そういえば トニーの テンションは… 一定《いってい》だよねー
ええ
ええ
大人風
あっでも パソコンなんかで 新《あたら》しい技《わざ》 見《み》つけた時《とき》とかは はしゃいでるじゃん？
ははは一
バタ
バタ
バタ
バタ
ヘンな動きをする
あのねぇ あのねぇ
あっ ホラ シャーペン あったよ
仕事《しごと》したら いいじゃない
ん〜〜〜？ でもなんかさー 疲《つか》れた…
さわいだしー
肩《かた》も こっててぇ…
じゃあ ここへ 座《すわ》って！
つまり仕事したくないっていうかぁ…
テンションを 緩和《かんわ》するために もんであげる からね
へー そんな使《つか》い方《かた》 するのー
だから もう少《すこ》し 頑張《がんば》って仕事《しごと》 するんだよ？
……
よ？
…
きっとしないまま、夜は更けゆく。

緊張を楽しめる人生にしたい

緊張（tension）した状態と比べて、落ち着いた状態、つまり「緩和」が好まれるかといえば、英語人の頭の中ではそうでもない。落ち着いた状態は平和的とはいえ、エネルギーの感じられない「死んだ状態」とも考えられているからだ。一方、自分の心身におけるtension（緊張）はそれと対照的で、「生きた証拠」そのものである。人間は自然と緩和の方を求めるからこそ、自分の中のtensionを認め、歓迎すべきだという発想が生まれたのだろう。もちろん、物や作品を創造するクリエイターは、そうした緊張状態を自分で活用できるかどうかが、作品を産みだす勝負どころかもしれない。

vol.2

「The」の真実

The Truth about "The"

トニーは
苦《く》悩《のう》していた
原因《げんいん》は「the」である
母音《ぼいん》の前《まえ》にくる「the」は「ジ」って読《よ》むんだよね？
「ジ アップル」でしょ？
え？ ホントに？
この会話《かいわ》からわかった衝撃《しょうげき》の事実《じじつ》
母音《ぼいん》の前《まえ》にあっても「the」は「ジ」と読《よ》むわけではない
The apple on the table.
どっちも「ザ」でもいい
…ということを私の本「ダーリンは外国人」に描いたのですが

これって「ザ」でも「ジ」でもいいってことなの？
う〜〜〜ん
う〜〜〜〜〜ん
う〜〜〜…
ザ アンブレラ
ジ アンブレラ
ザ インディ・ジョーンズ
ジ インディ・ジョーンズ
ザ ウンパールンパー
こんな？
ジ ウンパールンパー
ウンパールンパー…
な…なんでそんなに悩《なや》んでんの？
はぁ
はぁ
普段《ふだん》「the」のことなんてあまり意識《いしき》してないんだよね
だからよくわかんない…
う〜〜ん
ザ
ジ
ジ
ザ
ジ
ザ
ジ
ザ
カタカタカタ
パソコン
も〜…
もどかしいなー
私《わたし》としてははっきり知《し》りたいんだけど…

スパーンと聞《き》いたら
スパーンと
答《こた》えられないもんかねー？
いつも直球で
返ってこないんだけど
理想
Yes or No!?
びゅっ
パシッ
びゅっ
I see!
パシッ
No!
それが言葉のキャッチボーゥ！
本格発音風
苦悩…
それは
違《ちが》うな
現実
「はっきりしない
ことなんだ」って
受《う》けとめたら
いいんだよ！
そして
「使ってみる」んだ!!
ボーゥは
山のむこうに
飛んで
いきました…
でも
せめて
もう少《すこ》し
はっきり
させても
いいでしょ？

んーとね……
スピーチする時《とき》
なんかは
「ジ」って言《い》うけど
普通《ふつう》の会話《かいわ》では
「ザ」って言《い》うんだよ
意識《いしき》してないけど
きりかわるの
ボクの場合
意識《いしき》
しないのに
別《べつ》の音《おと》に
なる……？
よけいわからん。
日本語《にほんご》でも
例《たと》えば普段《ふだん》は
「暖《あたた》かい」を
「あったかい」って
言《い》ってても
「あたたかい」とも
言《い》うでしょ？
言《い》う!!
ネイティヴは
自分《じぶん》では
意識《いしき》してなくても
時《とき》と場合《ばあい》によって
何《なに》かを変《か》えてることが
あるんだよね
ほー
そっか
「そういう」を
「そうゆう」って
言《い》うのと
同《おな》じ感《かん》じかー
たぶんね

…で 結局《けっきょく》 まとめると どういう ことなの？
難《むずか》しいん だけど ボクの考《かんが》え ではたぶん…

ココがpoint

①ネイティヴは
母音《ぼいん》の前《まえ》の
「the」を
「ジ」と読《よ》む
とは教《おそ》わらない

②「ジ」になることが絶対的《ぜったいてき》に
正《ただ》しいとは言《い》えないが
無意識《むいしき》に「ジ」に
なっていることがある

③何《なに》をどのくらい
「ザ」と言《い》うのかは
国《くに》や地域《ちいき》、または
環境《かんきょう》などによって違《ちが》う

※教える学校もあるけど
教養とはそんなに
関係ないと思う

環境《かんきょう》って 何《なに》…？
例《たと》えば 詩《し》を書《か》く (読《よ》む)人《ひと》は 「ジ」と言《い》う確率《かくりつ》が 高《たか》いと思《おも》うし コーラスや発声訓練《はっせいくんれん》を 受《う》けている人《ひと》は 「ジ」と言《い》う方《ほう》が美《うつく》しい、と 指導《しどう》されていると思《おも》う
「ジ」だから 美しいとは 意識してない だろうけど

ふうん…しかし「the」にこんな秘密《ひみつ》があろうとは…
やっぱりほかの言語《げんご》を理解《りかい》するのって大変《たいへん》だなあ…
ぐったり
それは違《ちが》うな
デジャヴ？
「完全《かんぜん》に理解《りかい》できないところ」が楽《たの》しいんでしょ!!
え？完全《かんぜん》に理解《りかい》できたときに喜《よろこ》びがあるんじゃないの？
それももちろん楽《たの》しいよ でも理解《りかい》できないのも楽《たの》しいと思《おも》う… それが語学《ごがく》を学《まな》ぶコツだよ！
ぼー…
オタクへの道《みち》のりは遠《とお》かった…

つまり「そういうことなんだ」って理解しよう

このやっかいな話を教え込まれている中学生は、はっきり言って可哀想。「the」の基本的な発音は「ザ」だが、以下の二つの時には、「ジ」と発音される場合もある。①強調したいとき。例：「now is the（ジ） time to invest in chocolate manufacturing.＝今こそがチョコレート生産に投資すべきときだ」。②母音の前。例：「the（ジ） aliens gave me this strange coin.＝エイリアンがこの不思議なコインをくれた」。ただ、必ず「ジ」になるというはっきりとしたルールがあるわけではなく、こういう「傾向」があると理解したほうがいい。英語をある程度使えるようになったら、みなさんもあまり考えることなく自然にそう発音するようになるだろうと思う。ちなみに、「ザ・インターネット」（1995年）というサンドラ・ブロック主演の映画があった。これは母音の前の「the」なのに、読みが「ザ」になっているのは、いうまでもなく「過ち」とはいえない。まぁ「ジ」でもよかったかもしれないが。

vol.3

「V」のクチビル

Read my Lips

ある時《とき》 私《わたし》は
音《おと》を消《け》して
テレビを見《み》ていて
気《き》がついた
それは英語《えいご》の
ネイティヴ・スピーカーが
話《はな》しているところ
だったのだが
むむっ
こっ
これは…
じーっ

ガタッツ
ぬお〜〜っ
噛《か》んでない!!
皆《みな》さん!!
中学校《ちゅうがっこう》で
「「V」は下唇《したくちびる》を
軽《かる》く噛《か》んで」と
習《なら》いませんでしたか!?
誰
かれこれ5分《ふん》は見《み》ているが
この人《ひと》…
一度《いちど》たりとも
唇《くちびる》なんか
噛《か》んじゃいないぞ!!
トニー…
ひょっとして
「V」の発音《はつおん》って
唇《くちびる》噛《か》まないんじゃないすか…?
V
V?
V…

うん 噛《か》まないね
やっぱり…
別《べつ》のネイティヴいわく
「噛《か》むか 噛《か》まないか」って ことより ヴァイブレーションさせてるかどうかが大事《だいじ》じゃないかな?
実《じっ》は
こうではなくて
こんな感《かん》じですね
唇を歯に引きつけるような
ほんと
アクティ
ヴ
って噛んでたらとっても忙しいと思ってたのよね
この口《くち》の形《かたち》ってね 尺八《しゃくはち》を吹《ふ》く口《くち》に似《に》てると思《おも》うんだ
だから
学校《がっこう》で尺八《しゃくはち》を教《おし》えればいいんじゃないかな!?

「英語教育に尺八を」…!?
ざんしん？
フォ〜〜〜って
ほら こーいう口 こーいう…
いや サックスでも いいんだけどー リードが すぐ割れたり するからねえ？
口をあてるとこに はさむもの
こまかいな
しかし最近 和楽器演奏を 教育に取り入れる 運動もあるので もしかして…!?
まあそれはともかく 日本《にほん》では 「V」の音《おと》って 「B」に近《ちか》いと されてるようだけど 「F」に近《ちか》いはずだよ
「active」は フランス語で 「actif」だし
「father」は ドイツ語で 「Vater」だし
じゃあ それって 「V」の発音《はつおん》が できない人《ひと》は 「B」って発音《はつおん》するより 「F」にした方《ほう》が 伝《つた》わりやすいってこと？
ん一…？
V… B… F…
いや それは ないかな…

例《たと》えば「ヴァン（van）」を「バン」と言《い》っても「ファン」と言《い》っても正《ただ》しく伝《つた》わらないかも知《し》れないね
van＝車
ban＝禁止する
fan＝扇，（誰かの）ファン
じゃあどうすれば？
時々《ときどき》ね鏡《かがみ》に自分《じぶん》の顔《かお》を映《うつ》して練習《れんしゅう》するって話《はなし》を聞《き》くんだけど…
「V」に限らずそれよりは…

ココがpoint

①自分《じぶん》の顔《かお》を見《み》るより
話《はな》す相手《あいて》の顔《かお》を見《み》る
言葉《ことば》は伝《つた》わっているか
どうかが大切《たいせつ》なのだから
表情《ひょうじょう》からそれを読《よ》み取《と》る

②いろいろ言《い》ってみても
通《つう》じなかったら
紙《かみ》に書《か》く

③それを見《み》て相手《あいて》が理解《りかい》し
言葉《ことば》を発音《はつおん》してくれたら
その音《おと》を記憶《きおく》する
（ように努力《どりょく》する）

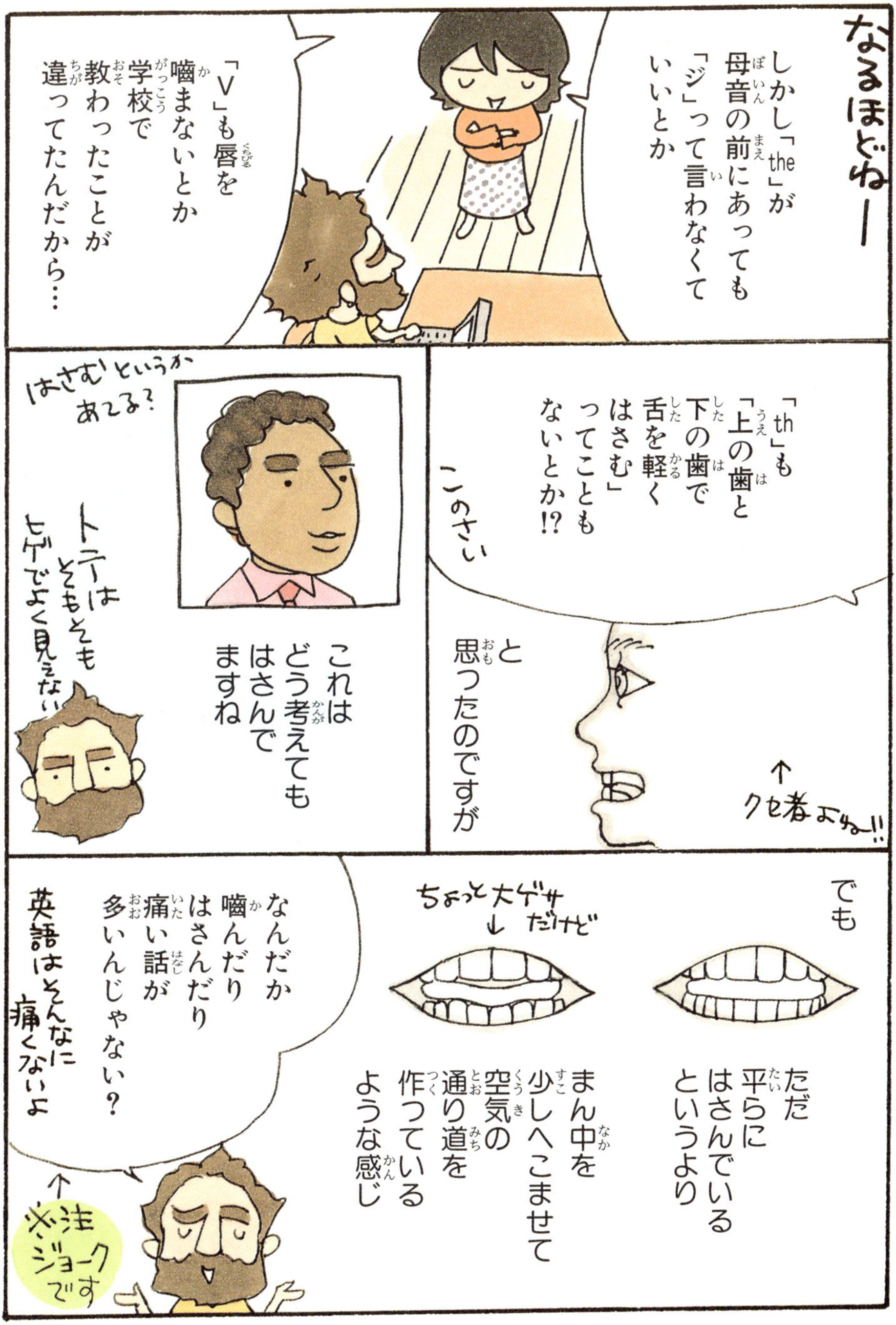
なるほどねー
しかし「the」が母音《ぼいん》の前《まえ》にあっても「ジ」って言《い》わなくていいとか
「V」も唇《くちびる》を噛《か》まないとか学校《がっこう》で教《おそ》わったことが違《ちが》ってたんだから…
「th」も「上《うえ》の歯《は》と下《した》の歯《は》で舌《した》を軽《かる》くはさむ」ってこともないとか!?
このさい
と思《おも》ったのですが
↑
クセ者よね!!
はさむというかあてる?
これはどう考《かんが》えてもはさんでますね
トニーはそもそもヒゲでよく見えない
でも
ちょっと大ゲサだけど
ただ平《たい》らにはさんでいるというより
まん中《なか》を少《すこ》しへこませて空気《くうき》の通《とお》り道《みち》を作《つく》っているような感《かん》じ
なんだか噛《か》んだりはさんだり痛《いた》い話《はなし》が多《おお》いんじゃない?
英語はそんなに痛くないよ
↑
※注
ジョークです

めざすのは美しいコミュニケーション

英単語を完璧に発音できない人は「コミュニケーション・センス」で勝負すればいい。具体例として、「reverse」（逆、後進）を考えよう。カタカナ通りに「リバース」と発音したら、「rebirth」（再生、更正）にも聞こえてしまう。車をちょっとバックさせてほしいというつもりで「I need (to) reverse」と言ったら、下手すれば、宗教的な話を持ち込まれていると相手に勘違いされ、驚かれてしまう。誤解されないためには「前後関係」をつくるのが一番だろう。車のことで困っているという、自分のおかれている状況が相手によく理解してもらえるように、「car」（車）をはじめ二、三のキーワードを述べ、そしてジェスチャーを付けて話したら、意味が伝わりやすいだろう。考えてみれば、「reverse」が完璧に発音できる人であっても、相手が分かってくれるとは限らない。世の中は英語のネイティブばっかりではないからだ。目指すのはきれいな「V」の発音ではなく、うまく伝えることができる美しいコミュニケーションだ。

ネーミング

ケータイが香港で普及してきた頃その呼び名は大哥大《ターコーター》だった
「大哥」って「兄貴」って意味
どうも恐そうなお兄さんたちがいち早く使い始めたからららしい
ということはまだケータイが普及してない国にこういう人たちを適量ケータイとともに送りこんだら
「丸顔」変えたのに！
いいなー新しい「丸顔」～
高いんだぜこの「丸顔」
「丸顔」として定着するかも知れない

卍の書き順

知ってる？「卍」って字の書き順…ちょっと意外だよ
あとボクとしては「淵」も難しい…

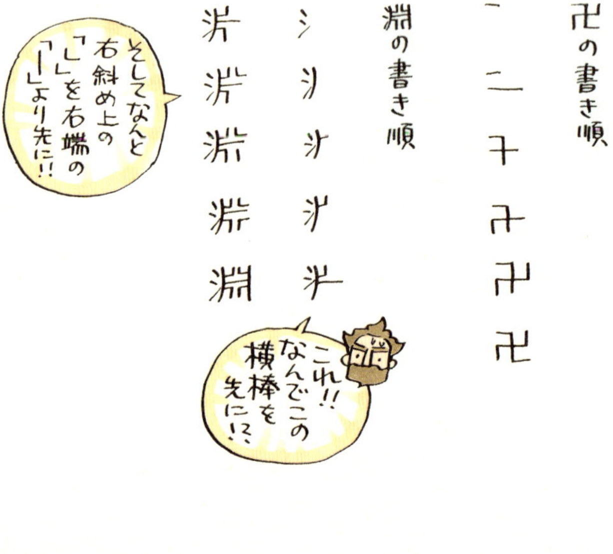
卍の書き順
淵の書き順
これ!! なんでこの横棒を先に!?
そしてなんと右斜め上の「L」を右端の「丨」より先に!!

vol.4

漢字ってすばらしい

What's so Great about Kanji

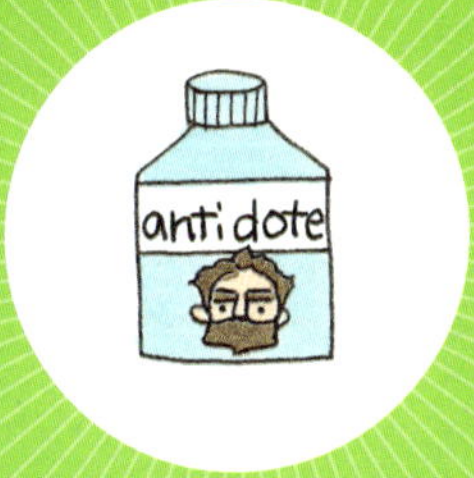

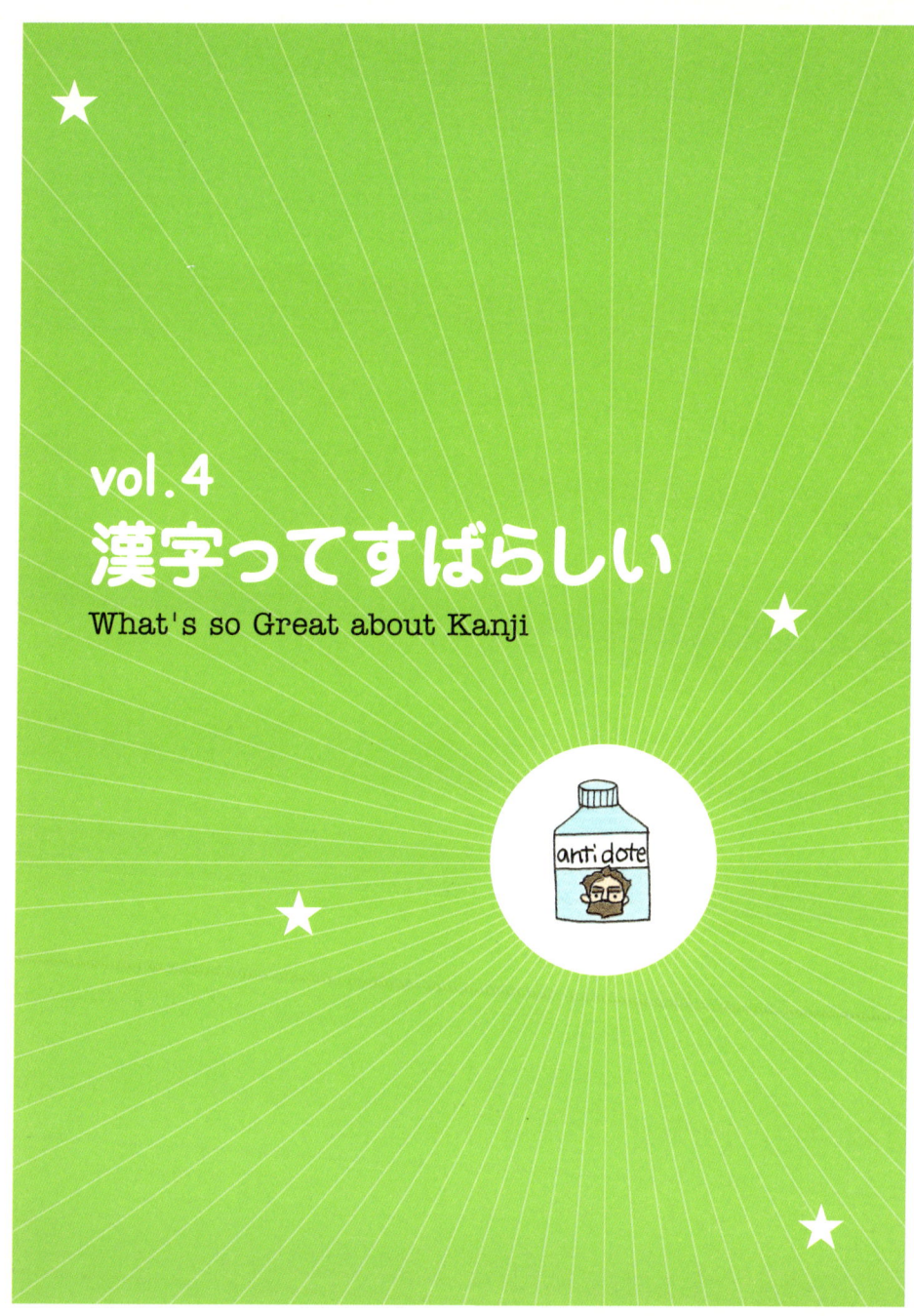

reject⇔accept
permit …
Registration forms can be
inspire…
ブツ
ブツ
aspire…
ブツ
respire…
英語《えいご》の勉強《べんきょう》頑張《がんば》ってるねー
努力する人好き →
んー最近《さいきん》やっと単語《たんご》を関連《かんれん》づけて覚《おぼ》えられるようになったよ
語源
例《たと》えば「inspire」って単語《たんご》も「in」を変《か》えたら違《ちが》う単語《たんご》になるんだよね
[spir] 息する
こうして前につく言葉
＝
接頭語
inspire
中に という意味で [鼓舞する]
respire
繰り返し という意味で [呼吸する]
aspire
向ける という意味で [熱望する]

でも…同《おな》じ形《かたち》の接頭語《せっとうご》でも違《ちが》う意味《いみ》って場合《ばあい》もよくあるよ
そうなの!?
この「a」は同《おな》じように見《み》えても実《じつ》は違《ちが》うんだよ
aspire
向ける [熱望する]
apathy
無 [無気力]
avoid
離れて [避ける]
abridge
～の方へ [要約する]
など、他にもまだあります
※英語は由来がラテン語、ギリシャ語、フランス語、古い英語…と沢山あるため同じ言葉でも由来が違えば意味も違う
その点《てん》漢字《かんじ》はもっと効率《こうりつ》がいい!!
はぁ

例《たと》えばこの言葉《ことば》…読《よ》んで字《じ》のごとしでしょ？
列島《れっとう》
「列《つら》」なった「島《しま》」で「列島《れっとう》」ね
でも英語《えいご》では「列《れつ》(columnやchain)」でも「島《しま》(island)」でもないんだよね
列島《れっとう》 = archipelago
※ギリシャ→イタリア語由来
archi=主なる
pelago=海
島がいっぱい浮かんでいるエーゲ海のこと。
「island chain」とも言えるけど あまり使われてないし
英語《えいご》はこういう風《ふう》に丸暗記《まるあんき》しないといけない単語《たんご》が結構《けっこう》あるから大変《たいへん》なんだよ
列《れつ》
島《しま》
列島《れっとう》
漢字《かんじ》は意味《いみ》がわかってる文字《もじ》の組《く》み合《あ》わせが多《おお》いもんね

そう！これを見《み》て…
帯状分布《たいじょうぶんぷ》＝zonation
隠花植物《いんかしょくぶつ》＝cryptogam
猫愛好《ねこあいこう》＝ailurophilia
接吻恐怖症《せっぷんきょうふしょう》＝philemaphobia
漢字《かんじ》だと全部《ぜんぶ》わかるよ
初めて見ても
ネイティヴでも
この英語《えいご》初《はじ》めて見《み》たら意味《いみ》がわからない
しかし接吻恐怖症って…
ココがpoint
漢字《かんじ》は一《ひと》つ一《ひと》つの文字《もじ》を知《し》っていれば初《はじ》めて見《み》た単語《たんご》でも意味《いみ》が理解《りかい》できる
これがどんなときにいいかというと
医者《いしゃ》に行《い》って…
先生《せんせい》ボクの病気《びょうき》は…？
英語だとして

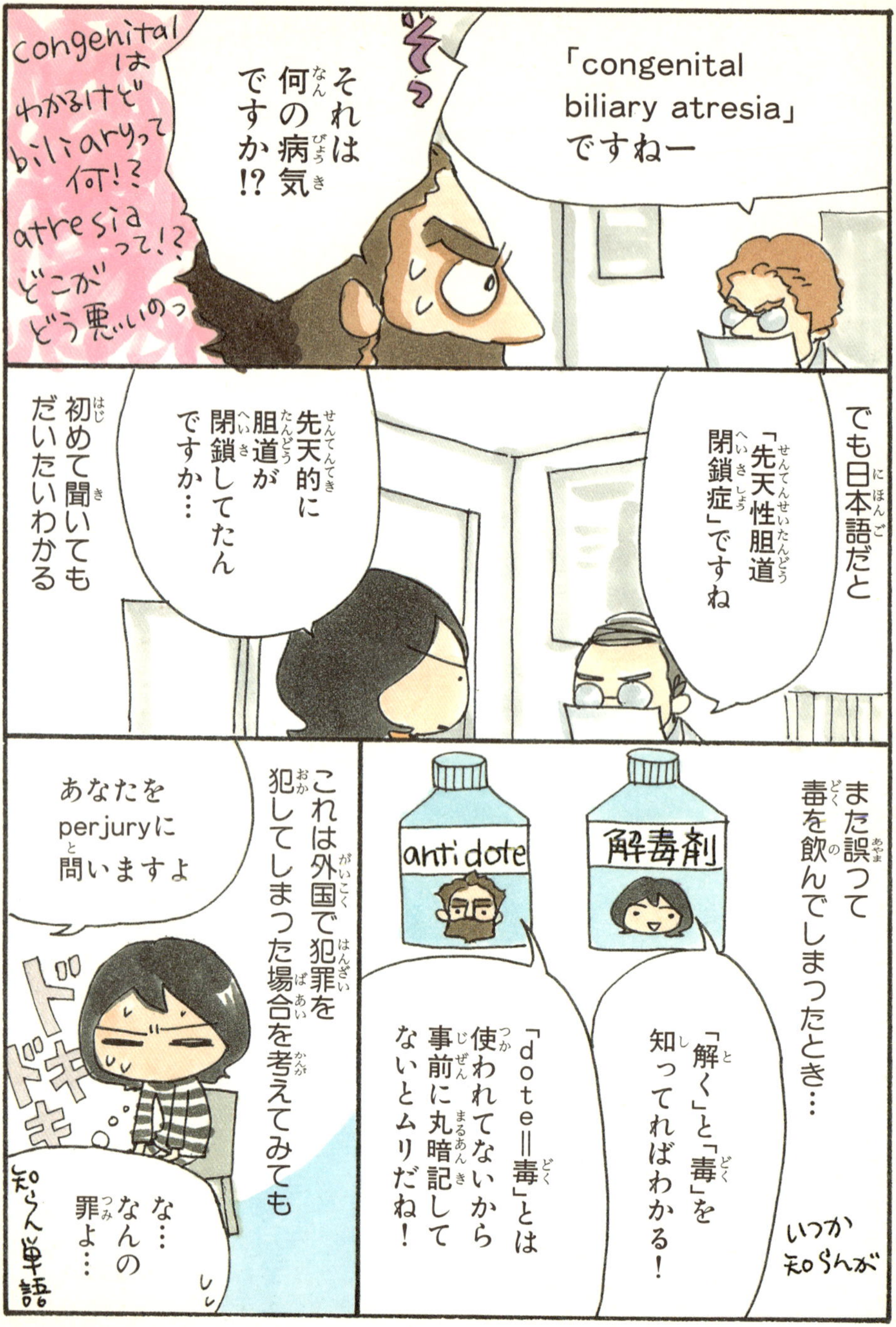
「congenital biliary atresia」ですねー
それは何《なん》の病気《びょうき》ですか!?
congenitalはわかるけどbiliaryって何!? atresiaって!? どこがどう悪いのっ
でも日本語《にほんご》だと「先天性胆道《せんてんせいたんどう》閉鎖症《へいさしょう》」ですね
先天的《せんてんてき》に胆道《たんどう》が閉鎖《へいさ》してたんですか…
初《はじ》めて聞《き》いてもだいたいわかる
また誤《あやま》って毒《どく》を飲《の》んでしまったとき…
解毒剤
anti dote
「解《と》く」と「毒《どく》」を知《し》ってればわかる!
「dote=毒《どく》」とは使《つか》われてないから事前《じぜん》に丸暗記《まるあんき》してないとムリだね!
いつか知らんが
これは外国《がいこく》で犯罪《はんざい》を犯《おか》してしまった場合《ばあい》を考《かんが》えてみても
あなたをperjuryに問《と》いますよ
ドキドキ
な…なんの罪《つみ》よ…
知らん単語

あなたを偽証罪《ぎしょうざい》に問《と》いますよ
「偽《にせ》」の「証《あかし》」…なんかウソついたって思《おも》われてる?
他《ほか》にも
仮釈放《かりしゃくほう》＝parole
宣誓供述書《せんせいきょうじゅつしょ》＝affidavit
宣誓証言《せんせいしょうげん》＝deposition
重罪《じゅうざい》＝felony
軽罪《けいざい》＝misdemeanor
「重罪」と「軽罪」対応させてくれてもいいじゃん!!
felonyはラテン語由来でmisdemeanorは古代フランス語由来だからね…
漢字にも例外はあるけど
「生死《せいし》」や「事件《じけん》」みたいに重要《じゅうよう》な事柄《ことがら》は合理的《ごうりてき》な漢語《かんご》が多《おお》いからわかりやすくていいんだよね
でも意味《いみ》がわかってもこういうのはどーよ
古字だけど
ユウ（園・庭の意）
こういうのがいっぱいある
スイ（たいまつの火）
ウ（雨）
オウ…
「奥深い」というもう一つの素晴らしさにまた心打たれた

「死語」の世界へようこそ

英単語の由来を探っていると、たくさんの古代ギリシャ語、古代フランス語、古代ノルウェイ語、そして、ラテン語と遭遇する。それこそ、すぐ「死語」の世界に突入してしまう。うっかり突入してしまっても、なるべく圧倒されないよう、気になった単語のみを一つずつ調べてみるのがおすすめだ。そして気が向いたとき、その単語の「親戚」にまで足を運ぶ。例えば、「Vocabulary」(語彙)という単語を調べている場合、こんな感じで遊んでみて、学習に励むといいかもしれない。「When attempting to increase your VOCABULARY, I would ADVOCATE that you VOCALIZE new words (especially the VOWELS).」「(訳)語彙を増やそうとしているあなたへ。新しく習った言葉を、声を出して読み上げてごらん。特に、母音のほうをはっきり発音するようにね。」

注意:大文字で書かれている言葉はラテン語のvocare(呼ぶ)で結ばれている単語である。

vol.5

語源の泉

Fountain of Language

それは何《なに》気《げ》ないひとことから始《はじ》まった
「escape」の語《ご》源《げん》って面白《おもしろ》いんだよ
ああ「逃《に》げる」って意《い》味《み》の？
そう
escape = ex（～の外《そと》へ）
実《じつ》は「cape」ってこのケープのことなんだよね
つまり…
…
まてーっ
ワルワル団

ぴゅーーっ
ぱっ
つかまえたぞ〜〜〜
しゅるっ
ばっ
あっ
…という感《かん》じでケープから出《で》ることが「逃《に》げる」になったみたい
はぁ
はぁ
へーえ
ぱんぱん
※ケープを着ること自体がキュークツなので「それを脱ぐ」=「逃げる」になったという説もある

このcapeという言葉《ことば》
昔《むかし》はcappaと言《い》った
これが日本語《にほんご》の「カッパ」になったのだ!!
ポルトガル経由
合羽
※河童は別の語源
そしてcappaはcaputからきている
「caput」はラテン語《ご》で「頭《あたま》」って意味《いみ》「cap」もここからきてます
CAP
その他にも
caputをもとにcaboceがつくられた
↓
caboche
↓
cabbage
「キャベツ」になった!!
「頭の形の野菜」から
カッ カボチェ？ ひょっとして「カボチャ」もここから…
大発見!?
「カボチャ」は「カンボジア」からだよ
南からやってきた瓜

それから「ウシ(畜牛《ちくぎゅう》)」も「caput」からなんだよ
cattle
トニー説
牛を数える時、頭を見て数えるからじゃないかと思う 日本では「一頭」って数えるけど 英語でも「a head」って数えますし
ウシとキャベツが!?
「礼拝堂《れいはいどう》」は「cappa」からだし
chapel
※由来は長いのでここには書けません
この辺りから「アカペラ」も派生してるよ
ウシ キャベツ 礼拝堂《れいはいどう》!?
わかりやすいのもいっぱいあるよ「シェフ」とか「キャプテン」とか…
chef(コック)
Chief(長)
captain(キャプテン)
capital(頭金)
「頭《あたま》」って大事《だいじ》だから広《ひろ》がるんだね…
入りきらなくなってきた

さらに面白《おもしろ》いのが
ドイツ語《ご》の
「kaput」も
「caput（頭《あたま》）」が
語源《ごげん》なのに
今《いま》は「壊《こわ》れてる」
って意味《いみ》
なんだよーっ!!
オタクが輝く瞬間・・・
カプットの容量オーバー
大丈夫?
ダラー
でもね
こんなに
広《ひろ》がらない
単語《たんご》もある
からね…
「外」が語源の「forest」とか
他の単語につながらないので「ヘエー」で終わってしまう
ココがpoint
学習《がくしゅう》に
役立《やくだ》てるなら
広《ひろ》がりそうな
単語《たんご》を選《えら》ぶこと
そっか…
でも面白《おもしろ》い
語源《ごげん》なら
「無駄《むだ》な知識《ちしき》」
＝「トリビア」
として
楽《たの》しめるじゃん

その「トリビア」だけど…
ボク「トリビア」って「無駄《むだ》じゃない」って思《おも》うんだ
語源《ごげん》もね…
tri 3
via 道《みち》
つまり三叉路
三叉路《さんさろ》で出会《であ》った旅人《たびびと》が食《た》べ物《もの》とか風土《ふうど》とかいろんな情報《じょうほう》を交換《こうかん》したってことなんだよね
ラクダって知ってる？コブが1コから3コまであって鼻の穴が閉じられる動物なんだよ
へえ〜
乗りにくそー
今だって
「トリビア」を沢山《たくさん》知《し》ってるとその中《なか》のどれかは誰《だれ》かの役《やく》に立《た》つと思《おも》うんだ
今日《きょう》の語源《ごげん》はなんか役《やく》に立《た》ったかなぁ？
これもケープという
役《やく》に立《た》ったとしてもカッコよくはない…ってこともあるわけですね
残念

「トリビア」から宝ものを探そう

僕は毎日、少なくとも一回ぐらいは「へぇ」って言いたい。人間はいつ「へぇ」と言うかというと、たぶん知らなかったことを紹介されて驚いたり、面白がったりしたときだろう。言葉の歴史やつながりをはじめ、さまざまな種類のトリビアを「無駄な知識」と考える人もいるが、僕たちを「へぇ」と言わせ、刺激した以上、「無駄」という表現は合わないと思う。

語学学習に、無駄な知識があるならば、それは言葉の語源より、長時間かけて暗記した小難しい単語や文法のルールのほうだろう。人間には、自分が毎日接する膨大な情報から「面白いもの」を選別し、さらに参考になるものを選び出す能力がある。三叉路(trivia)での情報に耳を必ず向け、聞き流すものを聞き流し、「へぇ」と言いながら、残った情報から自分にとっての宝ものを見つけ出すのが、語学習得にも、充実した人生にもつながるのではないかな。

そう、そう。僕は毎日、少なくとも一回ぐらいは「へぇ」って言いたい。

vol.6

くっつくと困る

Big Sticky Mess

観音
KAN ON

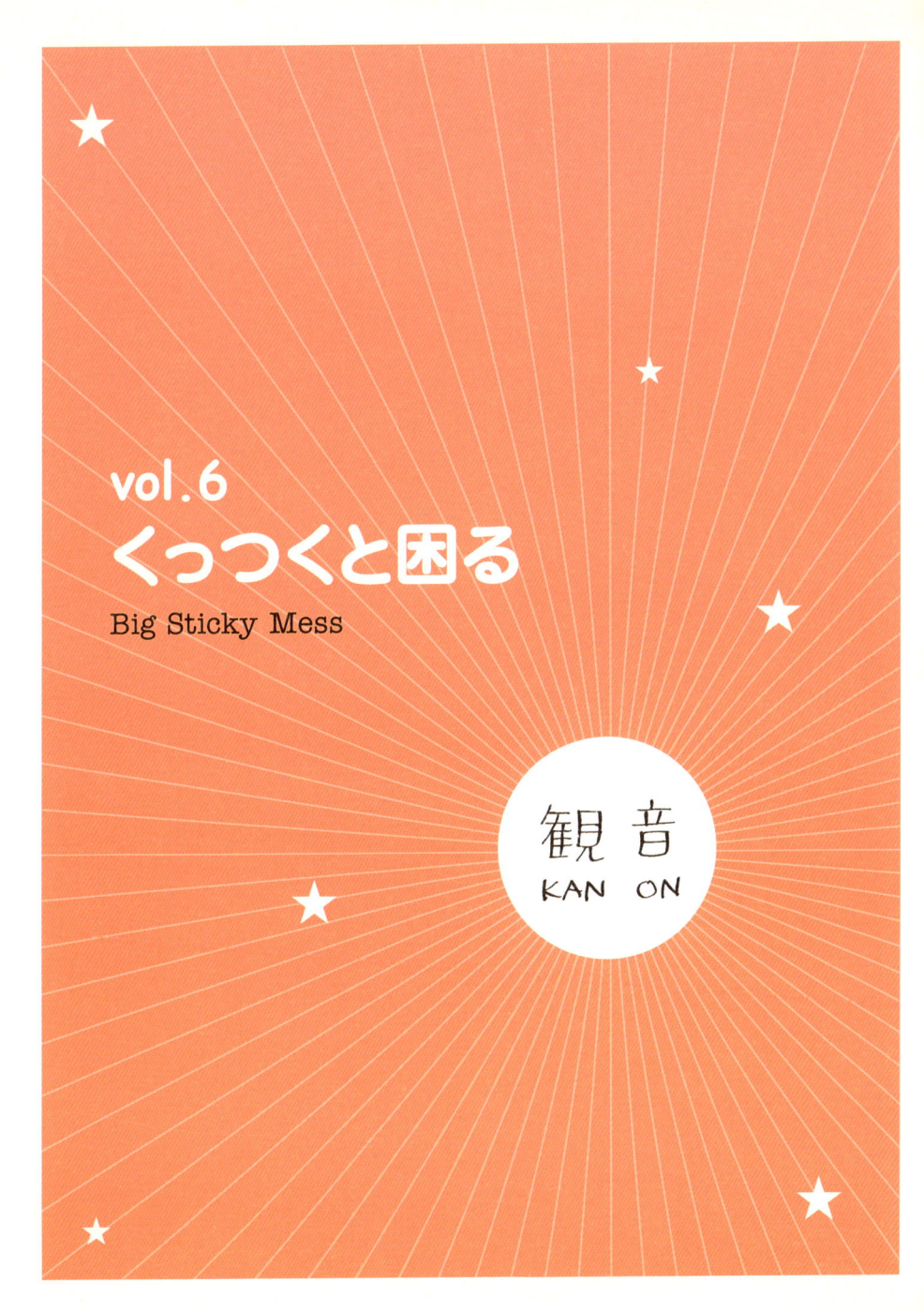

ウェンディッ
ジュー
ゲッバッ
English
んー…
なんでだ…
どう
したの？
アララ…
ダウェー
英語《えいご》って
聞《き》きとり
が
難《むずか》しいん
だよねー
文字《もじ》として読《よ》めば
わかるんだけど
音《おと》だけだと
聞《き》きとれないよ
例《れい》
get up
＝
ゲラッ(プ)
なんで
文字通《もじどお》りに
発音《はつおん》して
くれないのさ
English
……
ど…
どういう
意味《いみ》？
してる
でしょ

してないじゃん!!
get=ゲッ(ト)
up=アップ
単語《たんご》はこうなのに二《ふた》つがくっつくと音《おと》が変《か》わるでしょ?
ゲラッ
ゲラッ
あー…まぁ言《い》われればそうだね
っていうか音《おと》が変《か》わるって意識《いしき》もしてなかったわけ?
うん
英語《えいご》でもなんか用語《ようご》があるじゃん…「リエゾン」だっけ?
「リエゾン」…ああフランス語《ご》ね
例《たと》えば「シャンゼリゼ」ってやつでしょ?
何《なに》それ
「シャンゼリゼ」ってどこで区切《くぎ》りがあるか知《し》ってる?
「シャンゼ」と「リゼ」?
いや本当《ほんとう》は
Champs Élysées
シャンズ エリーゼ
(この上なく幸福な、とか楽園という意味)

Champs
「Champs」のみのときはこの「s」は発音されないが
Champs Élysées
後ろに母音がくると「s」が発音される
さらに「ズ」の音《おと》が「Élysées」の頭《あたま》にある「エ」とくっついて 2つの音《おと》をつなげてるんだよね
「リエゾン」
かけはし
だから厳密《げんみつ》に言《い》えばフランス語《ご》で言《い》う「リエゾン」は英語《えいご》にはないと思《おも》うよ
フッー
「リエゾン」＝「かけはし役(の人)」って使ったりはするけど
そうなの？日本《にほん》の英語《えいご》教育業界《きょういくぎょうかい》では時々《ときどき》使《つか》う言葉《ことば》だと思《おも》うけど？
だいいち英語《えいご》ではそんなに音《おと》がくっついたりしてないでしょ
しとるわ死《し》ぬほど!!
音《おと》がくっつくっていうなら日本語《にほんご》にもあるじゃない例《たと》えば「かんのん」
観音
KAN ON
んー…そう言《い》われればそうだけど…

これも「リエゾン」ではなく「語中音添加《ごちゅうおんてんか》」ってものなんだけど
観音
KAN ON
N
春雨
HARU AME
S
だけど「単語《たんご》」はそういう「音《おん》」なんだって覚《おぼ》えやすいけど「単語《たんご》」と「単語《たんご》」が連続《れんぞく》して「音《おん》」が変化《へんか》するのは難《むずか》しいじゃん
キリがないし
「立《た》った」や「わかんない」も変化《へんか》してる言葉《ことば》じゃないの？
あ そうなの？
この変化《へんか》は「母音脱落《ぼいんだつらく》」っていうんだけど

立ち ＋ た
tati ta
立ちた ではなく
tatita
このiが抜けて
立った
tatta

わからない
wakaranai
このaが抜けて
わかーない
wakarnai
このrがnに変わって
わかんない
wakannai

日本語《にほんご》は「音《おん》」が変化《へんか》したら「かな」も同《おな》じように変化《へんか》させてるから気《き》づきにくいだけだよ
「行《い》っちゃえ」とか「行《い》っちまえ」とか変化《へんか》してる言葉《ことば》はいっぱいあるよ
そっか…そんなにあるかな…
はっ
「そうでっしゃろ」…？
そうだよ そうだよ そうでっしゃろ…
うん うん
※「行《い》っちゃえ」「そうでっしゃろ」のような変化《へんか》は「語中音脱落《ごちゅうおんだつらく》」といいます
そうですやろ
soodesuyaro
uがとれて
そうでしゃろ
soodesyaro
強調のため「つまる音」が付け加えられて
そうでっしゃろ
soodessyaro
えーそれにしても音《おと》が変化《へんか》してるのを意識《いしき》してないって理解《りかい》できない…
だからー「わかんない」って言《い》ったり書《か》いたりするのと同《おな》じなんだってば

んー…
わかるような わからないような…
なんとなく納得《なっとく》しかねていたが
ある日《ひ》…
ちょっとこのハガキなんて書《か》いてあるか読《よ》んでくれない？
なんで？日本語《にほんご》読《よ》むの面倒《めんどう》くさい？
少《すこ》しくずしてあるから…
読みづらい
ごぶさたしており
お元気で
え？このくらいで？
日本人《にほんじん》にはわかるかもしれないけどボクにはわかりづらい
特《とく》にひらがな
漢字はカタチが残りやすいからわかるけど
そうなんだ
ごぶさた
「ご」か「で」か？
言葉を知っていればわかるが
あーわかった！発音《はつおん》もこれと同《おな》じだね

ココがpoint
ネイティヴは
音《おん》や字《じ》がくずれていても
自然《しぜん》にわかる範囲《はんい》が広《ひろ》い
ノンネイティヴは
丁寧《ていねい》でないとわかりにくい
行書
楷書
それだけの差だ…
しかし 今回は私が
発見したポイント…
まぁこれで
なんとなく
イメージは
つかめたけど…
英語《えいご》に
物申《ものもう》したい!!
日本語《にほんご》の音《おと》は
単純《たんじゅん》だし
一《ひと》つの「かな」に
一《ひと》つの「音《おん》」だから
英語《えいご》は
あいまいな音《おん》に
感《かん》じるんだよね
※「音」=正しくは音節
English
はっきり話してほしいよ
〝日本語《にほんご》〟の音《おと》は単純《たんじゅん》で
一《ひと》つの「かな」に
一《ひと》つの「音《おん》」…?
キラン
そんなこと
ないよ!!
どの
「かな」が
違《ちが》うのか…
続《つづ》きは
次回《じかい》!!
初の
続きモノ
ですね!

「左多里」は「Saodi」?

ジェームズ・ブラウンの名曲『セックス・マシーン』には「Get up, get on up」と繰り返される歌詞がある。その「Get up」の部分が日本人にはどう聞こえているか?「ゲロンパ」という人もいれば、「ゲラッパ」または「ゲロッパ」と聞こえる人もいる。J.B.に「いいぞ、ゲロッパ・ゲローラ!」と言ったら、だいぶ変な顔されると思うが、日本人同士で歌って盛り上がる分にはいいだろう。

ちなみに英語を母語とする人の感覚では、「Get」は「Ged」に化けている。では日本人はなぜ「ゲロ」に聞こえるのだろうか。これは、「d」が日本語の「ら」行に近いことを物語っているように思う。「l」や「r」に当たると言われる、あの「ら」行。ということは、ブラウン先生に「左多里」という名前をより正確に発音してもらおうと思えば、「Saodi」で紹介したほうがいいかもしれない。いや、正確さより美しさを求めるなら、「Saoli」にしたほうがいいと思う。いずれにしても、「ら」行を「r」で表現するのが一般的だが、そんなこと決めたの、誰?

かっけー

最近「かっこいい」を「かっけー」って言うんですけどこれはどんな現象ですか？
対談してくださった町田先生
母音融合というものですね
「かっこいい」が
koii
「かっけー」になる
kee
という
ほんとにどんな現象にも名前があるんですね…

vol.7

んんん、んん…。

Pronounce me if you Can

前回《ぜんかい》からの問題《もんだい》
かきくけこ
ka ki ku ke ko
日本語《にほんご》は1つのカナに1つの「音《おん》」だ!!
そうかな?
じゃあこの文《ぶん》を声《こえ》に出《だ》して読《よ》んでみて
するめです
するめです
今《いま》「するめ」の「す」と「です」の「す」って違《ちが》う発音《はつおん》したでしょ?
うそ?
「するめ」「です」「するめ」「です」…

説明《せつめい》すると
「するめ」や「すみか」のように文頭《ぶんとう》にくる場合《ばあい》の「す」は「う」が入《はい》っている
そして
「～です」のように文《ぶん》の最後《さいご》にくる「す」は「う」はなく空気《くうき》が抜《ぬ》ける音《おと》
↑標準語の場合
す
す
あー…ホントだ…
でしょ？それからね次《つぎ》はもっとすごいよ……
なに……？
これも声《こえ》に出《だ》して読《よ》んでみて
はんのう
はんぱ
はんこ
はんを
はん
え？これまさか……

そう これ全部《ぜんぶ》 発音《はつおん》が 違《ちが》うんだよ
ええ!?
「ん」のところで 言葉《ことば》をとめて 舌《した》の位置《いち》を 確認《かくにん》してみて
ん… はん…
はん…
ホントだ……
でしょ?
いろいろ説《せつ》があるけど だいたい3つから5つに 分類《ぶんるい》されてるね
①はんのう [hannoː]
※d/n/t/sの前《まえ》にくる音《おん》
②はんぱ [hampa]
※b/p/mの前《まえ》にくる音《おん》
③はんこ [haŋko]
※k/gの前《まえ》にくる音《おん》
④はんを [haũ.o]
※前《まえ》にくる母音《ぼいん》によって変化《へんか》
「ひんを」なら[hiĩ.o]
⑤はん [haN]
※完全《かんぜん》に口《くち》を閉《と》じた口蓋垂音《こうがいすいおん》

あれ？
⑤「はん」を大《おお》きな声《こえ》で言《い》うと④と同《おな》じ発音《はつおん》になるんじゃない？
遠くの人に呼びかけるとか
トニーはーんっ
京風
そうかもねーっ
はっ
それに④みたいな「ん」は口《くち》を閉《と》じないまま言《い》ってる!!
こんなに種類《しゅるい》があるとはねぇ…
うれしそう…
ところでサッカーの「エムボマ」選手《せんしゅ》は海外《かいがい》では「ンボマ」って言《い》われているのに日本《にほん》では「エムボマ」
「ンボマ」だって言《い》えると思《おも》うんだけどなぜなんだろう？
MBOMA 10
アフリカの「ンゴロンゴロ地区《ちく》」はそのまま言《い》うのにね

ココがpoint
日本語《にほんご》でも十分《じゅうぶん》複雑《ふくざつ》な発音《はつおん》をしている
だから「外国語《がいこくご》は発音《はつおん》が難《むずか》しい」と壁《かべ》を作《つく》らないで!!
名古屋弁の「みゃー」も「æ」に近いって言われてるしね
日本語《にほんご》の発音《はつおん》も第《だい》二言語《げんご》として覚《おぼ》えようとする人《ひと》にとっては大変《たいへん》なんだよ
「う」も「おう」って書《か》いて「おー」って発音《はつおん》することがあるでしょ?
えいが
とけい
[e:]
例《たと》えば普段《ふだん》「えい」の「い」はホントに「い」って発音《はつおん》してる?
この「エイ」は「エ」と「イ」がきちんと発音されてると思うけど
追《お》う
覆《おお》う
[ou]
王様《おうさま》
工事《こうじ》
[o:]

あっ「ひまわり」も「ひまーり」って言《い》ってるなあ…
「ヒマある?」の「あ」とソックリだよね
ひまわり
[hima:ri]
ヒマある
[hima:ru]
外国人《がいこくじん》にしてみれば字《じ》の通《とお》りに覚《おぼ》えてるからちょっと違《ちが》うと聞《き》きとれないことだってあるんだよ
日本人が英語を聞きとれないのと同じようにね
「反応」だと
はんのう
[hanno:]
あれ?そういえば「はんのう」って前回《ぜんかい》言《い》ってた「語中音添加《ごちゅうおんてんか》」で「お」が「の」に変化《へんか》したんだよね?
じゃあなんで「らんおう」はそのままなのかな?
ムッカしい…
らんおう
[raũo:]
ボクの苦労《くろう》わかった?
楽しいんじゃないの…?

「日本語」と「国語」の違いって？

有名な日本語教師養成所が一日目の授業で、生徒に向かってこう説明しているという。「日本で育った日本人のあなたたちが学校で習い、そして日常生活で使っているのは『国語』だ。しかし、外国人に教えるのはそれではない。彼らが習って使うのが『日本語』だ」。この事実を知ったとき、頭が疑問でいっぱいになった。日本語を母語としない人の書く文書は正真正銘の日本の言葉と違うとでもいうのか?二つの違った言語が存在するなら、外国人と日本人との会話は本当は成り立っていないのでは?海外で育った日本人や国内で育った外国人が学んで使う言語はどちらが「国語」で、どちらが「日本語」?アイヌ語の位置付けはどうなるのか?相撲力士の「ごっつぁんです」は、国籍問わず、「国語」の領域に入るなのかな?だって、外国人力士であっても、相撲は「国技」なんだからな…。学者に質問したところ、1944年に設立された「国語学会」は、2004年1月でもって名前を「日本語学会」に変更したことがわかった。よさそうな傾向だ。「国語」は止めるべきで「日本語」が良いとは言わないが、同じ言語なら、呼び名を一つにしてしかるべきだったと思う。確かに、どんな言語でも、第二言語としておぼえる人のニーズを特別に考える必要がある。だけど、出発地点と乗り方が違っても、目指す到着地点は同じなはず。

vol.8

「と」はずるい

When Verbs at the End Cometh

チョコレート ケーキ もらったけど 食《た》べる…
おお〜しっ
わけには いかないな もう 夜《よる》だから 明日《あした》に しようね
ズル…
ヨロ…
日本語《にほんご》ってさ… いじわるだよね
恨
チョコレートケーキをくれ
最後《さいご》の最後《さいご》で 意味《いみ》を 反対《はんたい》にしたり するもんね
希望《きぼう》を 持《も》たせといて さあ!!

もうケーキは冷蔵庫にしまいました
パタム
え？英語《えいご》じゃできないの？
ま…フツーはね…
ケーキ…
I will give this to you …not!
と、notをつけることは不可能じゃないけどスマートじゃない感じ
ああ日本語《にほんご》なら動詞《どうし》が最後《さいご》にくるから途中《とちゅう》で否定《ひてい》にできるんだ
日
私《わたし》はこれをあなたにあげ…
S O V
・ません
・るわけにはいかない
英
I will give this to you
S V O
英語《えいご》はたいていここで言《い》いきってるからね
英語《えいご》は基本的《きほんてき》にSVOの順《じゅん》だけど
S(主語)
V(動詞)
O(目的語)
例外として
Him I can beat.
O S V
←強調する場合
It is.
S V
I went.
S V
など、動詞で終わる場合もあります
めずらしく動詞《どうし》が最初《さいしょ》にくる言語《げんご》も中《なか》にはあるよ
ウェールズ語《ご》
Dw i'n hapus
V S O
(Am) (I) (happy)
←これでも疑問文ではない

しかし!
語順《ごじゅん》もさることながらボクが思《おも》うに「と」がずるい要素《ようそ》なんだよね!!
…と言《い》うと?
その「と」だよーーっ
および「って」だよーっ
さおりにこれあげる
と言《い》ったら本部《ほんぶ》からストップがかかったのでできないんです
ほんぶ?
ねっ!? 「と」によっていつの間《ま》にか文章《ぶんしょう》がのびてる!!
そして正反対《せいはんたい》の意味《いみ》に!!
バキ
でもそれっていい点《てん》もあるじゃない

ケーキあげる
という予定《よてい》だったんだけど今《いま》はムリかな
と思《おも》ってたけどまぁ…いいことにしよっか
ケケケケッ
なーんてことありえなーい!!
どこがいい点《てん》なの!?
つまり
話《はな》しながら相手《あいて》の表情《ひょうじょう》見《み》て語尾《ごび》を変《か》えたり言葉《ことば》をつけたせる
便利じゃん 仕事上でも
まぁね…実《じつ》はボクも「と」は大切《たいせつ》だと思《おも》うんだけどね
例《たと》えば相手《あいて》の話《はなし》が聞《き》きとれなかった時《とき》…
わかりません
と言《い》うと「話《はな》してもムダ」と思《おも》われるかも
…と申《もう》しますと?
だと「言《い》い方《かた》がわかりにくかったかな」ともとれるので話《はなし》を続《つづ》けてもらいやすい

でも後《あと》から日本語《にほんご》を覚《おぼ》える人《ひと》はこの「と」が使《つか》えるようになるまで時間《じかん》がかかるんだよ
原因《げんいん》
①多《おお》くの言語《げんご》に「と」にあたる言葉《ことば》がない
②日本語《にほんご》を「です」「ます」で教《おし》えられることが多《おお》い
「ある」なら 「あると思う」「あると聞いた」
自然な日本語↳
「あります」だと「ありますと思います」
不自然↳
「と」は便利《べんり》であってずるいってこと!!
よく見ると形もずるい!!
何かにひっかかろうとしてる感じ…ですかネ
と
じゃあ英語《えいご》で「と言《い》うと?」みたいに聞《き》き直《なお》したい時《とき》は?
"I don't understand" は "わかりません" だよね?
I don't understand.
quite
よく
(完全《かんぜん》に)
quiteを入《い》れるといいよ
もっとやわらかく言うなら
I'm afraid I don't quite understand.
「と言《い》うと?」に近《ちか》づけるなら…
I don't quite understand what you mean?
「what〜」をつけることで原因がどっちにあるか不明またはどっちにもあるというような感じになる

しかし考《かんが》えてみれば 「と」なんかを使《つか》って 言葉《ことば》をつなげつつ 様子《ようす》を見《み》る… っていうのは 日本《にほん》での コミュニケーションに ピッタリだと 思《おも》うんだけど…
・相手《あいて》の気持《きも》ちを おもんぱかる
・正面《しょうめん》から ぶつからないよう あいまいにする
言葉《ことば》がこうだから 日本語人《にほんごじん》の性質《せいしつ》が こうなったのかな？ 性質《せいしつ》が先《さき》？
影響《えいきょう》 しあって いるのは 間違《まちが》い ないよね
日本語人＝日本語を使う人
ココがpoint
言葉《ことば》は それを使《つか》う人《ひと》の コミュニケーションに 影響《えいきょう》を及《およ》ぼしている
ボクの場合 日本語《にほんご》だと
ケーキ 食《た》べ…ようよ
食《た》べ…たら いいじゃない
食《た》べ… ないと 悪《わる》くなるよ
なんて 言おう
英語《えいご》なら
This is delicious！
そんな バカな
日本語で 悩んでる時 すでにeating状態

「お帰りなさい」の心地よさ

最近、インターネットのチャットルームで、10人位の常連とおしゃべりをしている。多くのメンバーは二つ以上の言語が使えるので、会話は常にちゃんぽん状態。僕自身、チャットのスペースに入るときの挨拶はフランス語だったり、中国語だったり、その時々の気持ちに合わせている。個人的には、ハンガリーやオーストリアの周辺で使われている「Servus」（または「Szervusz」）がけっこう好き。これは「お役に立つことがあれば」という微かなニュアンスを含んでいる。別れるときの挨拶にもなる。

ところで、チャットに戻ってきた仲間に「お帰りなさい」と言ってたら、これもメンバーの中で定着しつつある。広く使われているイタリア語の「Ciao」やフランス語の「Salut」ほどにはならないかもしれないが、「お帰りなさい」ないし「お帰り」はある時と場合に使える、一味違う挨拶として色んな人に親しんでもらえるような気がする。国際的に流行するのは時間の問題？

vol.9

「世界」を疑え

Dividing Lines

日本《にほん》ではこの人《ひと》を
「ハンガリー」と「イタリア」のハーフと言《い》う
だけど「ハンガリー」って英語圏《えいごけん》での呼《よ》び名《な》だよね
そうハンガリーでは自分《じぶん》たちのことを「マジャル」って言《い》うんだよ
「ダーリンは外国人」ならぬ
「父さんはマジャル人」
おおっ一気《いっき》に見知《みし》らぬ雰囲気《ふんいき》に!!
ハンガリー＝マジャルオルサグ
Hungary
Magyarország
クロアチア＝フルバツカ
Croatia
Hrvatska
ブータン＝ドゥルックユル
Bhutan
Druk Yul
フィンランド＝スオミ
Finland
Suomi
だいぶイメージが違うなー

フィリピン＝
Philippines
ピリピナス
pilipinas
「フィリピン」は島《しま》が集《あつ》まってるから複数形《ふくすうけい》なんだ
島の数は7000くらいあるらしい！
「イタリア」はそのままなの？
うん イタリアやフランス語《ご》ドイツ語圏《ごけん》の地名《ちめい》はそのままの確率《かくりつ》が高《たか》いね
英語では
フローレンス＝フィレンツェ
Florence Firenze
アイボリーコースト＝コートジボアール
Ivory Coast Côte d'Ivoire
ミューニック＝ミュンヘン
Munich München
ヴィエナ＝ウィーン
Vienna Wien
でもなぜかスペイン語圏《ごけん》は英語《えいご》読《よ》みになってるんだよね
スペイン＝エスパーニャ
Spain España
チリ＝チレ
chili chile
メキシコ＝メヒコ
Mexico México
アルゼンチン＝アルヘンティナ
Argentine Argentina
そんな国名《こくめい》を地図《ちず》に書《か》いてみると
エスパーニャ
スオミ
マジャルオルサグ
フルバツカ
ドゥルックユル
メヒコ
ピリピナス
チレ
アル ミスル（エジプト）
アルヘンティナ
なんかちょっと違う世界みたい？

…で「世界地図《せかいちず》」といえば日本《にほん》ではこれだけど…
アジアで使《つか》われているのがこの形《かたち》ってことで海外《かいがい》で一般的《いっぱんてき》な地図《ちず》は違《ちが》います
インターネットで「World map」と入《い》れて検索《けんさく》すると
出《で》てくるのは下《した》にある地図《ちず》です
と、遠…

まったく感《かん》じが違《ちが》う…
なぜ日本《にほん》が「極東《きょくとう》」って言《い》われてきたかわかるよね
地図《ちず》だとひずみや端《はし》っこができちゃうけど地球儀《ちきゅうぎ》ならかなり忠実《ちゅうじつ》だよね?
でも南半球《みなみはんきゅう》の人《ひと》の中《なか》には「いつも北半球《きたはんきゅう》が大切《たいせつ》にされ過《す》ぎてる」と言《い》って南半球《みなみはんきゅう》を上《うえ》にした地球儀《ちきゅうぎ》もあるみたいだよ
南半球の人に限らず地図を上下逆に貼る人もいるしね
ところで地球上《ちきゅうじょう》の大陸《たいりく》の数《かず》っていくつだと思《おも》ってる?
んー…?「五大陸《ごたいりく》」じゃないの?
オリンピックも五輪ですし
名前《なまえ》言《い》ってみて
私《わたし》の五大陸《ごたいりく》
○ユーラシア大陸《たいりく》
○北《きた》アメリカ大陸《たいりく》
○南《みなみ》アメリカ大陸《たいりく》
○アフリカ大陸《たいりく》
○オーストラリア大陸《たいりく》

まず…南極《なんきょく》は？
そっか 南極《なんきょく》いれたら 六大陸《ろくたいりく》…
ヨーロッパでの六大陸《ろくたいりく》
○ヨーロッパ大陸《たいりく》
○アジア大陸《たいりく》
○アメリカ大陸《たいりく》
○アフリカ大陸《たいりく》
○オーストラリア大陸《たいりく》
○南極大陸《なんきょくたいりく》
「オセアニア」とする時もある
疑問① アメリカ大陸は一つなの？
北アメリカ
南アメリカ
ここ細いよ〜すっごく!!
アメリカ合衆国《がっしゅうこく》や日本《にほん》ではアメリカ大陸《たいりく》を北《きた》と南《みなみ》に分《わ》けてるようだけど多《おお》くの国《くに》では一《ひと》つとして考《かんが》えてるよ
昔、アメリカ大陸を「発見」した時は細かいことはわからなかったはず ただ「大きな大陸が一つ見つかった」と思われてたんだろうね
疑問② ユーラシア大陸を分けるのはなぜ？
ヨーロッパ
アジア
海もないのに…
これはアジアでは「文化《ぶんか》や歴史《れきし》が違《ちが》うから分《わ》けられた」と受《う》けとめられているけど他《ほか》の意味《いみ》もあると思《おも》うよ

「大陸《たいりく》」は英語《えいご》で
continent(続《つづ》いている土地《とち》)
つまり「大《おお》きな陸《りく》」ではなくて「大《おお》きな広《ひろ》がり」のイメージが近《ちか》いかな
continueに関連した言葉
ヨーロッパとアジアの間《あいだ》には山脈《さんみゃく》があるもんね
そこで広《ひろ》がりが終《お》わるんだ
ウラル山脈
ヨーロッパ
アジア
カスピ海
まぁ結局《けっきょく》数《かぞ》え方《かた》はいろいろで五大陸《ごたいりく》とも七大陸《ななたいりく》とも言《い》ってるってことだね
しかしこれテストなら正解《せいかい》は国《くに》によって違《ちが》うってこと？
だね！
ココがpoint
立場《たちば》が違《ちが》えば見《み》えている「世界《せかい》」も違《ちが》う
自分《じぶん》の考《かんが》えを固定《こてい》しないで離《はな》れた場所《ばしょ》に飛《と》んでみるのもいいかも…
そうすればイメージを作《つく》ったり書《か》き換《か》えたりできるね
思いきって中から見てみるのはどうかな!?
……

ネパールと日本の意外な接点

もう一つの世界、インターネットの話。「jp」で終るウェブサイトをよく目にするが、これはもちろんジャパンの略で、「日本」のことを指している。「jp」よりニッポンの「np」のほうがいいじゃないかと思っても、もう遅い。「np」はすでにネパールが使っているからだ。ニッポンの略としては「nh」または「nn」が考えられ、これらはどちらもまだ空いている。

試しに「www.○○.nn」と書いてみる。「w」と「n」が3対2の割合で、全体が左のほうに傾いてしまっている感じではないか。「www.○○.nh」だと、「h」とプラスαの重みで、ぎりぎり「www」とのバランスが取れている気がする。僕ならこちらを選ぶ。だが、こういうことを決める偉い人たちは、違った選択をした。なんと、日本でも「np」が使用できるよう、ネパールとうまく交渉したのだ。そのお蔭で日本のサイトは「jp」でも「np」でも良いことになった。半面、「np」のサイトがネパールのものなのか、それともニッポンのものか、すぐ区別が付かない場合も出てくるかもしれない。

vol.10

記号≠共通言語

The not so Universal Language of Symbols

ある日《ひ》 私《わたし》は ふと思《おも》つた
～
この記号《きごう》って英語《えいご》で何《なん》て言《い》うのかな
私は「ニョロ」って言ってるけど…
これならわかるけど
～
インターネットアドレスの /~saori/ ↑コレ
半角《はんかく》じゃなくて全角《ぜんかく》のやつ
ニョロが真ん中で
これは
～
ティルデ
(tilde/スペイン語)
日本では英語から入ってきて「ティルダ」って言うらしいけど
ボクはスペイン語で発音する派
スペイン語《ご》では ñのほか áもàも「ティルデ」と言《い》う
「~」単独では考えない その下に字があることがほとんどのため
そっか!
英語《えいご》に「半角《はんかく》」「全角《ぜんかく》」って概念《がいねん》はないよ
そして手書きなら真ん中に書くし
～

英語《えいご》なんかではこの記号《きごう》には「約《やく》」って意味《いみ》もあるんだよ
～20
（約20）
え～「20まで」じゃないの!?
実《じつ》は英語《えいご》でもこう言《い》う人《ひと》もいるね
～
「ニョロニョロしたもの」
squiggly thing
～
正式名称
「波ダッシュ」
やっぱり！じゃあ正式《せいしき》名称《めいしょう》より「見《み》ため」で言《い》った方《ほう》が通《つう》じるんじゃない？
でも「空《そら》飛《と》ぶじゅうたん」って言《い》ってるフランス語圏《ごけん》の人《ひと》もいるし…
見《み》ためで考《かんが》えると「@」はすごいことになってるよ…
その人だけなのかな？
まず「生《い》き物《もの》」に例《たと》える派《は》ね
各言語とも呼び名はひとつじゃないけど
@
「かたつむり」（韓国語《かんこくご》、イタリア語《ご》、エスペラント語《ご》など）
「ねずみ」（台湾《たいわん》の中国語《ちゅうごくご》）
「ちっこい犬《いぬ》」（ロシア語《ご》）
「ゆれる猿《さる》」（オランダ語《ご》）
「ミャウ（猫《ねこ》の鳴《な》き声《ごえ》）マーク」（フィンランド語《ご》）
「ゾウの鼻《はな》のａ」（デンマーク語《ご》）
こんな？

@
「シナモンロール」（スウェーデン語《ご》）
「ニシンの巻《ま》いたもの」（チェコ語《ご》）
「シュトゥルーデル」（ヘブライ語《ご》）
その他《ほか》は
こんなお菓子
もともとは「アンフォラ」って意味《いみ》の記号《きごう》だったんだよ
最近まで「at」の略だと思われてたけど
amphora（ラテン語）
「アンフォラ」とは
取っ手がついたツボのこと
1つのアンフォラに入る量が
「1アンフォラ」
その後《ご》「単価《たんか》」を表《あらわ》すマークになった
例
1アンフォラ300円のワインが5アンフォラ
＝
5@300
日本でも使われてるよね
このマークの歴史《れきし》は古《ふる》くてねぇー
1536年《ねん》に書《か》かれた「商船《しょうせん》の積《つ》み荷《に》明細書《めいさいしょ》」にもう使《つか》われてるんだよー
@
こんな感じ！
目の前で深みにはまってゆくオタク…

…で何《なん》で単価《たんか》のマークがネットのアドレスに使《つか》われるように？
知《し》りたいー？
ウフフ
あのね
アメリカ政府《せいふ》の機関《きかん》が委託《いたく》した企業《きぎょう》が「あまり他《ほか》と重《かさ》ならないもの」ってことで決《き》めたの！
カサコソ…
1971年のことです!!
ふぅ
ふぅ
#
ところで日本《にほん》では「#」を「シャープ」だって思《おも》ってるんだよね…
えー「シャープ」でしょ？
#
ナンバーサイン
（「第《だい》○番《ばん》」の「第《だい》」）
#
シャープ
（音楽用語《おんがくようご》）
よく見るとナナメになってるのがヨコ棒か タテ棒かっていう違いがあるかな…
日本《にほん》でパソコンのキーボードや電話《でんわ》についてるのは「ナンバーサイン」の方《ほう》
でもこれを「シャープ」って言《い》ってるの
普通パソコンでは「シャープ」はわざわざ出さないと出ない
前に大手ソフト会社が「ナンバーサイン」をマークに使って「シャープ」っていう名前の商品を出したりしてまぎらわしいんだけどね

「ナンバーサイン」もいくつも呼《よ》び名《な》があるよ
#
「ハッシュ」(イギリス)
「パウンド」(アメリカ)
「ティクタクトー」(ゲームの名前《なまえ》/アメリカ)
「庭《にわ》の柵《さく》」(スイスのドイツ語《ご》)
このマークにも歴史があるんだけど聞くー!?
あっ今日はいいです…
でもねぇパソコンのキーボードによって問題《もんだい》が生《う》まれたりしてるんだよね
¥
この「エンマーク」を日本《にほん》のプログラマーの一部《いちぶ》は「バックスラッシュ」と言《い》うこともある
\
しかし本当《ほんとう》の「バックスラッシュ」はこの記号《きごう》
「/《スラッシュ》」の逆向き
日本製《にほんせい》のキーボードでは「\」が出《で》るはずの場所《ばしょ》に「¥」がきてるわけ
それで形と名前がズレたりしてくるんだ

※韓国《かんこく》では「公衆浴場《こうしゅうよくじょう》」の意味《いみ》

ただでさえ言語《げんご》や地域《ちいき》ごとに記号《きごう》や意味《いみ》が違《ちが》って難《むずか》しいのに…
増えるなよー
でも考《かんが》えてみればこのマークも「温泉《おんせん》」とその「記号《きごう》」知《し》らないとわかんないんだよね日本《にほん》にいればわかるけど
韓国でも使われてるね
ココがpoint
記号《きごう》とその呼《よ》び名《な》は「文化《ぶんか》」だ
これは「カッコ」
「はい」
これは「コッカ」!!
しかし私《わたし》日本人《にほんじん》でもコレは初《はじ》めて知《し》ったけどね
へ〜
そんなこというの
その「へ〜」!「ニョロ」かどうかで感《かん》じ違《ちが》うんだよね!!
へ〜〜ー
へ…へ〜ー
これも日本《にほん》の「文化《ぶんか》」の一《ひと》つかも…?

ピリオドひとつでケタ違い

「56.789」をなんと読むのか?日本や英米なら、「56てん789」。しかし、オランダやロシアをはじめ他の国では、「5万6千7百8十9」になるのだ。また、これらの国では日本語で言う「9てん3」を「9.3」ではなく、むしろ「9,3」と表す。ちなみに、こうしてコンマとピリオドを使った区切り方が日本とは「逆」になっている国のほうが、実は多数派だ。国際的な取り引きなどにおいての誤解を防ぐため、日本側こそ「使い方が逆だから合わせなさい」と迫られてもおかしくはない。

さて、「1,5倍」や「33,3%」と書いてみると、違和感をおぼえる人が多いだろうが、実は、切替えようと思えば日本はかなりスムーズにできるはず。戦後、米国に合わせて変えるまでは、日本も整数と小数をコンマで区切る派(「33,3%」など)だったからだ。そういえば、「コンマ以下切り捨て」と言うんだね。

どの貝?

clam shell
二枚貝
折りたたみ式のケータイって英語では「クラム シェル」って言うんだよ
へー
でも二枚貝っていってもいろいろあるけど何貝なんだろうね
ホタテは形がキレイだけどあんな形じゃないしね
ムール貝じゃないって 黒いし長いし
ムールじゃないでしょー
えー ハマグリやアサリの方が違うじゃん
ほかにもまだあるし…
こうしてケンカが始まってゆく…

クイズ、これなんて読む?

正解は　ピンポン（卓球）

vol.11

「私たち」の好きなあいまい

A Very Definite Maybe

う〜ん
う〜ん
どーしたの？
も〜〜〜っ
今《いま》仕事《しごと》で日本語《にほんご》の文章《ぶんしょう》を英訳《えいやく》してるんだけど…
すごくやりにくいんだよ
なんで？
日本語《にほんご》の文章《ぶんしょう》って受《う》け身《み》が多《おお》いんだよね！
あ そーお？

そーだよ!
見《み》てよ これ
例《れい》この草花《くさばな》は昔《むかし》から あるとされていますが 「最近《さいきん》は見《み》ない」とも 言《い》われており 早急《そうきゅう》な確認《かくにん》が 求《もと》められております
「あるとされている」…「言《い》われている」…「求《もと》められている」…誰《だれ》に!?
人々《ひとびと》なのか 学者《がくしゃ》なのか あるいは会社や 団体なのか
また主語は I なのか They なのか
翻訳者《ほんやくしゃ》が 創作《そうさく》しなきゃ いけない部分《ぶぶん》が でてくるんだよ
英語《えいご》では そんなこと ないの?
英語《えいご》では 基本的《きほんてき》に受《う》け身《み》は 最小限《さいしょうげん》にするね 学校《がっこう》なんかで そう教《おそ》わるから
でも 受《う》け身《み》って 便利《べんり》 じゃない? あいまいって 助《たす》かるとき あるよ
まあね 証拠《しょうこ》を出《だ》さずに 「いかに求《もと》められて いるか」みたいな 雰囲気《ふんいき》が出《だ》せるよね
それに
例《れい》難《むずか》しいと思《おも》います
← 難《むずか》しいと思《おも》われます
ちょっと変《か》えただけで 自分《じぶん》の責任《せきにん》じゃない感《かん》じに!
会議にピッタリ♡

…ってこんな感《かん》じで責任《せきにん》とらないようにやってるから日本《にほん》の社会《しゃかい》はなかなか変化《へんか》していかないのか…
問題もあるね
でも「責任《せきにん》とらない」といえば私《わたし》「私《わたし》たち」っていうのが気《き》になるんだけど
「私《わたし》たち」？
自分《じぶん》の意見《いけん》を言《い》う時《とき》「私《わたし》」じゃなくて「私《わたし》たち」って言《い》う人《ひと》いるよね？
個人の気持ちなのに「私たちには難しい」とか「私たちの大好きなバラ」とか…
オレらは、
の場合もある
それも「責任《せきにん》」を薄《うす》めてると思《おも》うんだけど
ああ「royal we」ね
何《なに》それ？
royal we
「君主《くんしゅ》のwe」
君主《くんしゅ》が国民《こくみん》に対《たい》して何《なに》かを言《い》う時《とき》「私《わたし》たちは…」と言《い》ったことからこう呼《よ》ばれている
だからフツーの人《ひと》が「私《わたし》たちは」を使《つか》うと「〝royal we〟かよ」ってツッコまれたりするよ
勝手に代表するなって

あと「we」っていえばボクは医者《いしゃ》を思《おも》い出《だ》すな
診察室《しんさつしつ》に入《はい》った時《とき》医者《いしゃ》がこう言《い》うことがよくあるんだ
How are we today?
距離感《きょりかん》を縮《ちぢ》めるための「we」だね
先生は自分にタンコブできててもそういうよきっと
なんて答えるんだ
精神科《せいしんか》の医者《いしゃ》が患者《かんじゃ》に対《たい》して使《つか》うこともある
…それで私《わたし》たちは今《いま》どうしたらいいと思《おも》う?
えーと
そうこれは
まさに「責任《せきにん》を薄《うす》める」っていう使《つか》い方《かた》だね
「親心《おやごころ》のwe」
医者《いしゃ》が患者《かんじゃ》に
学校《がっこう》の先生《せんせい》が生徒《せいと》に
使《つか》う「we」

新聞《しんぶん》や雑誌《ざっし》で「私《わたし》たちの抱《かか》えている問題《もんだい》」なんて言《い》い方《かた》もよく見《み》るけど
「主筆《しゅひつ》のwe」
編集者《へんしゅうしゃ》・記者《きしゃ》や演説《えんぜつ》する人《ひと》が使《つか》う「we」
でもこれ3つとも根《ね》っこは「共感《きょうかん》」なんじゃないのかな?
「個」じゃなくて連帯しようっていう
だと思《おも》うねあまり連発《れんぱつ》すると逆効果《ぎゃくこうか》かも
ココがpoint
自分《じぶん》の意見《いけん》を「私《わたし》は」と書《か》く勇気《ゆうき》を持《も》とう
それにしても年々《ねんねん》日本語《にほんご》の「あいまい度《ど》」は高《たか》くなってるよね
いろんなものに「とか」をいっぱいつけてさ
「とか」は「とか何とか」の略だと思うんだけど
「とか」は最近《さいきん》英語《えいご》でも言《い》うよ
He’s angry.（彼《かれ》は怒《おこ》る）
He’s like all angry and stuff.
（彼《かれ》は怒《おこ》ったり何《なん》だりしたりする）

へー英語《えいご》でもあいまい化現象《かげんしょう》が始《はじ》まってるのかな？
意外!!
………
どしたの？
ボクねぇ今《いま》まで「あいまい」より「ハッキリ」の方《ほう》がいいと思《おも》ってたんだけど
大発見!!
「あいまい」の方《ほう》が健康《けんこう》にいいような気《き》がしてきた!!
「あいまい」って使《つか》ってる方《ほう》はストレスがたまらないよね
交渉の席ではウケが悪いけど
ピーン!
だから日本《にほん》は長寿《ちょうじゅ》なのかな!?
外交《がいこう》で負《ま》けたっていいじゃないか大切《たいせつ》なのは命《いのち》だ!!
でも…「自分《じぶん》は今幸《いましあわ》せか？」って調査《ちょうさ》で日本《にほん》は結構下《けっこうした》だけどね
どっちなんだ
その矛盾《むじゅん》はどう思《おも》ってるの？
はっきりさせよう
え〜〜〜と幸《しあわ》せの定義《ていぎ》とされておるのはですねぇ一般的《いっぱんてき》に言《い》うと昔《むかし》からねぇ…
その後あいまいに生きて80余年の私

ロボットに学ぶ人間の文化

仲間と一緒にロボットを作った。最近、踊ったり、歌ったりできるロボットが目立つが、僕らが作った「テルミ (TellMe)」は物理的な姿はなく、インターネットのチャットルームで動くものだ。チャットルームに参加しているメンバーが交わしている会話から自然に学習して、まるで思考できるかのように反応する。たとえば、テルミに「東京は?」と聞くとしよう。テルミは学習してきた答えを吐き出す。「日本の首都だ」。

また、「今、パリの天気は?」と聞くと、テルミはインターネットで調べて、その時刻のパリの温度などを教えてくれる。かなり優秀だ。しかしパリの温度を調べてもらったすぐ後、「じゃ、東京は?」と聞いたとしよう。人間なら東京の温度を調べてくれるが、テルミには前の話とのつながりが見えない。「東京?日本の首都だよ」とだけ答える。話が少しでも曖昧になると、ロボットは付いていけなくなるのだ。はっきり言わないのが人間の文化。曖昧さを避けたくても、避けようがない。

vol.12

ワンルームのグランドパレス

A One-room Grand Palace

引《ひ》っ越《こ》し…したいなー
え!?
この部屋《へや》に越《こ》してきて1年《ねん》もたってないのに…
だってさー
思《おも》ったより狭《せま》いし
なんか納戸《なんど》に似《に》てるよこの部屋《へや》…
ダンボールの山!!

まぁあのー 確《たし》かにボクが 片付《かたづ》けて ないんだけど
納戸化の責任者
それは苦情…
ですよね
今《いま》なら トニーは すぐさま 引《ひ》っ越《こ》せるよね
見てー
で… でも…
ねぇこれなんか どうかな グリーンキャッスル 東口《ひがしぐち》
グリーンキャッスル!?
緑の!! 城《しろ》!?
どこが!?
そーいえば そうだよねー
No…
イヤだ そんな 名前《なまえ》…
でも そういうの ばっかりだよ
コスモルネッサンス東口《ひがしぐち》
美術展覧会なの!?
ディアステージ東口《ひがしぐち》
舞台か!?

パレス東口《ひがしぐち》
コレは
ホントに
ダメだよー
「パレス」なんて
王族《おうぞく》の住《す》む
ところだよ!?
でもトニーが一番驚いたのは
デンタルヴィル東口《ひがしぐち》
ヴィルって
村《むら》…
歯《は》の村《むら》…
なぜ!?
大家さんが
歯医者なんだろうねぇ…
じゃあ
「シティハウス」
とかなら
いいの?
えーっ
なんか
「ドミトリー」
みたいだよ
安く泊まれるような
ムツカしい
なー
基準《きじゅん》が
わかんないよ
はっ
…っていうか
なんで
自分《じぶん》たちで
本当《ほんとう》の意味《いみ》が
わかんない名前《なまえ》を
付《つ》けてんの!?
でも…
マンションや
アパートの名前《なまえ》って
今《いま》やほとんど
カタカナが
つくんだよね
絶対《ぜったい》!!
他の国の言葉で
名付けまくってる国って
ほかにあるのかな?

まあそもそも「マンション」って名前《なまえ》も間違《まちが》ってるしね
有名だけど
日本《にほん》
マンション
アパート
欧米《おうべい》
マンション
アパート
ホントは「マンション」って超豪華《ちょうごうか》で大富豪《だいふごう》が住《す》むところなんだよね
ボクが思《おも》うに日本《にほん》は「アパート」って名前《なまえ》をつけるのがちょっと早《はや》かったんじゃないのかな?
「○○荘」など「下宿」時代
それよりちょっとイイ物ができた
もう一段階イイ物ができた
この時「アパート」という名前を持ってきてしまった!
本来はここで名付ければよかったのだが…またまた差別化のため「マンション」を持ってきた
最近《さいきん》はイタリア語《ご》やフランス語《ご》も増《ふ》えてるけど
「メゾン・ド・モンターニュ(山小屋)」なんてのもあるよ
新鮮《しんせん》なモノ大好《だいす》きだからね日本《にほん》は
これだけ外国人《がいこくじん》も増《ふ》えたからネイティヴがみてもおかしくないようにしないと
名前で住むのやめる人いるかも
きっと辞書《じしょ》だけで判断《はんだん》してるんだよね

ココがpoint
辞書《じしょ》だけに
頼《たよ》らないで
その言葉《ことば》の
ネイティヴに聞《き》こう
しかし外国《がいこく》では
例《たと》えばどんな
名前付《なまえつ》けてるの？
ん—…
考《かん》えてみれば
名前《なまえ》が付《つ》いてない
場合《ばあい》が
多《おお》いんじゃないかな？
欧米《おうべい》では少《すく》なくとも
自分《じぶん》の住所《じゅうしょ》書《か》くとき
ビルの名前《なまえ》は
書《か》かないし…
有名なのは
ステータスになったりも
するけど…
マンハッタンなら
「ダコタハウス」とか
「トランプタワー」とか
それは…
ひょっとして
日本《にほん》の土地事情《とちじじょう》も
関係《かんけい》してるのでは…？
「番地《ばんち》」の
感覚《かんかく》ね
日本《にほん》では大《おお》きな通《とお》りにしか
名前《なまえ》がついていませんが…
明治通り
名無し

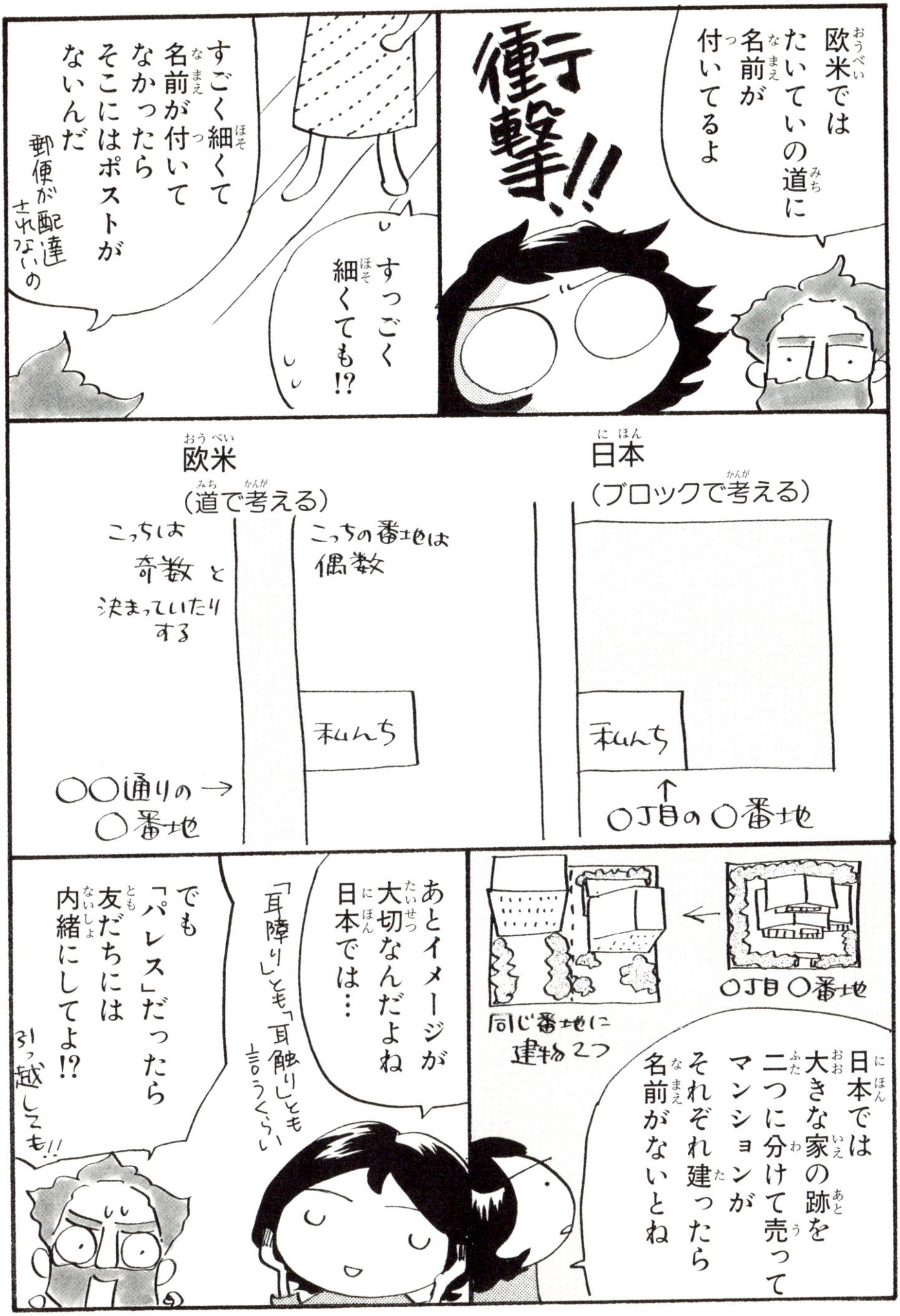
欧米《おうべい》では たいていの道《みち》に 名前《なまえ》が 付《つ》いてるよ
衝撃!!
すっごく 細《ほそ》くても!?
すごく細《ほそ》くて 名前《なまえ》が付《つ》いて なかったら そこにはポストが ないんだ
郵便が配達 されないの
欧米《おうべい》
(道《みち》で考《かんが》える)
こっちは 奇数 と 決まっていたり する
こっちの番地は 偶数
私んち
○○通りの → ○番地
日本《にほん》
(ブロックで考《かんが》える)
私んち
↑ ○丁目の ○番地
○丁目 ○番地
←
同じ番地に 建物2つ
日本《にほん》では 大《おお》きな家《いえ》の跡《あと》を 二《ふた》つに分《わ》けて売《う》って マンションが それぞれ建《た》ったら 名前《なまえ》がないとね
あとイメージが 大切《たいせつ》なんだよね 日本《にほん》では…
「耳障り」とも「耳触り」とも 言うくらい
でも 「パレス」だったら 友《とも》だちには 内緒《ないしょ》にしてよ!?
引っ越しても!!

つづりのミスが店をも語る?

ある日、講演の前に、お昼をとれる場所を探していた。目に入ったのは「Listorante」という看板。「Ristorante」(伊)のつづりを間違えたらしい。こういうちょっとしたミスだけで店の質を決めつけるわけにはいかないと思い、店頭のメニューを見ることにした。結構いい値段だ。おまけに、客の気配がない。こうなってくるとつづりのミスがもっと気になってくる。

高級イタリア料理を作る職人なら、イタリア語とかなり接しているハズで、この店で働くとは想像しにくい。となると、どんな人がどんな料理を作っているのか? 僕は結局、別の店にした。

店名や、商品の名前や、スローガンの作成は難しい作業だ。外国語を使った場合はなおさらだ。いくつか良さそうな案を出した段階で徹底的にチェックし、不適切なものをよく振るい落したほうがいいと思う。

vol.13

近くて近い韓国

Good Neighbors

ミ…ミニョンさん!!
ユジンさん!!
ファンの方→すみません…
来週どうなるの…
懐かしいわこのドラマの雰囲気…
韓国《かんこく》のドラマは人気《にんき》だねー
日本語《にほんご》で見《み》てるの?
当《あ》たり前《まえ》でございましょう?
キッ
そうかーでも日本人《にほんじん》にとって韓国語《かんこくご》って結構《けっこう》覚《おぼ》えやすいと思《おも》うよ
ああ日本語《にほんご》と文法《ぶんぽう》が似《に》てるって聞《き》いたことある
んーそういう面《めん》もあるけど例《たと》えば…

日本語《にほんご》で「チ」または「ツ」で終《お》わる言葉《ことば》ってどれだけあると思《おも》う？
音読みでね
一 イチ イツ
実 ジツ
質 シチ シツ
律 リチ リツ
山《やま》ほどだねぇ
それがほとんど例外《れいがい》なく韓国《かんこく》では「L」で終《お》わってるんだよ
일 一 イル
실 実 シル
질 質 チル
률 律 リュル
これは昔《むかし》の中国《ちゅうごく》で「T」の音《おと》だったのを日本人《にほんじん》は「チ」や「ツ」で表《あらわ》したんだけど
一 (y)it
実 jit
↑中古漢語
朝鮮《ちょうせん》半島《はんとう》では「L」と表《あらわ》したんだね
※朝鮮半島でこれがとり入れられたのは日本より少し遅くその頃には音が変化していたという説もある
あと韓国語《かんこくご》の「サ」は日本語《にほんご》では「し」または「じ」に当《あ》たることが多《おお》い
ガタン
ゴトン
ボクが韓国《かんこく》に行《い》った時《とき》ね…
電車《でんしゃ》に乗《の》ってたら突然《とつぜん》動《うご》かなくなったんだ
で周《まわ》りの人《ひと》が話《はな》しているのをよく聞《き》いてたら
사《サ》고《ゴ》~
사《サ》고《ゴ》~
사《サ》고《ゴ》

「サ」は「シ」か「ジ」だから…
シゴ… ジゴ… ジコ…
「事故《じこ》」だー!
はっ
会話《かいわ》はよく わからなかったん だけど 肝心《かんじん》な「事故《じこ》」って 単語《たんご》だけ うきあがって 聞《き》こえたんだ
まったく わかんないより 少《すこ》しは安心《あんしん》だね
といっても 事故だが
それにわからなくても 一生《いっしょう》けん命《めい》聞《き》いてると よりわかりやすい ところがあるでしょ?
と いうと?
句読点《くとうてん》の 前《まえ》
つまり 「間《ま》」が あく前《まえ》だよ
つまり、「間」があく 前だよ。
日本語《にほんご》も韓国語《かんこくご》も 「、」や「。」の前《まえ》に ある特定《とくてい》の大切《たいせつ》な言葉《ことば》が よくくるんだよね
〜です。 입니다
〜しました。 했습니다
〜あった。 있었다
〜すれば、 하면
〜だったら、 라면
…これ重要《じゅうよう》な 言葉《ことば》かなー?
もっと単語 覚えた方が よくない〜.

重要《じゅうよう》だよ こういう言葉《ことば》を 覚《おぼ》えたら 会話《かいわ》が スムースに なるもん
例《たと》えば 「しました」の前《まえ》は 「食事《しょくじ》」とか 「勉強《べんきょう》」とか 無限《むげん》にあるから 少《すこ》しずつ覚《おぼ》えて いけばいいけど 「食事《しょくじ》」が 「どうなのか」も 早《はや》く覚《おぼ》えて 伝《つた》えたい言葉《ことば》 じゃない？
食事しました
食事してない
食事したい
そっかー確《たし》かに 「すれば」とか 「だったら」なんて 知《し》ってると 知《し》らないじゃ 大違《おおちが》いだもんね
だから早《はや》く 使《つか》えるように なるために 句読点《くとうてん》の前《まえ》に あるのは 便利《べんり》なの それが 例《たと》えば 英語《えいご》だと …
While looking for an encyclopedia, I found an old envelope full of stamps.
聞《き》きとりやすいのは
“encyclopedia”と (百科事典《ひゃっかじてん》) “stamps”… (切手《きって》)
無限にある 単語の方
これが 日本語《にほんご》なら
百科事典を探していたのに、見つかったのは切手のいっぱい入った封筒だった。
「いたのに」「だった」 っていう言《い》いまわしを 覚《おぼ》えるとほかでも 応用《おうよう》できるでしょ？

こうやって語尾《ごび》をとっかかりにしてボクは日本語《にほんご》を覚《おぼ》えたんだ
何《なに》もわからないと言葉《ことば》って「雑音《ざつおん》」でしかないでしょ？
ココがpoint
聞《き》きとりやすい言葉《ことば》から覚《おぼ》えて雑音《ざつおん》を減《へ》らしていこう
ところで韓国語《かんこくご》って「F」の音《おと》を言《い》い表《あらわ》せないって知《し》ってた？
どーいうこと？
ゴルフ＝골프《ゴルプ》
フランス＝프랑스《プランス》
プランス!?国名《こくめい》かわってきてますね！
ファッションはこう書《か》くんだけど
패션《ペション》
「プ」でもなくなってるけど…
パッションも同《おな》じ言葉《ことば》なんだよ
「패션 오브 크라이스트」
映画「パッション・オブ・クライスト」の韓国語題
へーまぎらわしくないのかな
でも日本語《にほんご》でも平安時代《へいあんじだい》には「F」と「P」は同《おな》じにしていたって話《はなし》も聞《き》くよ

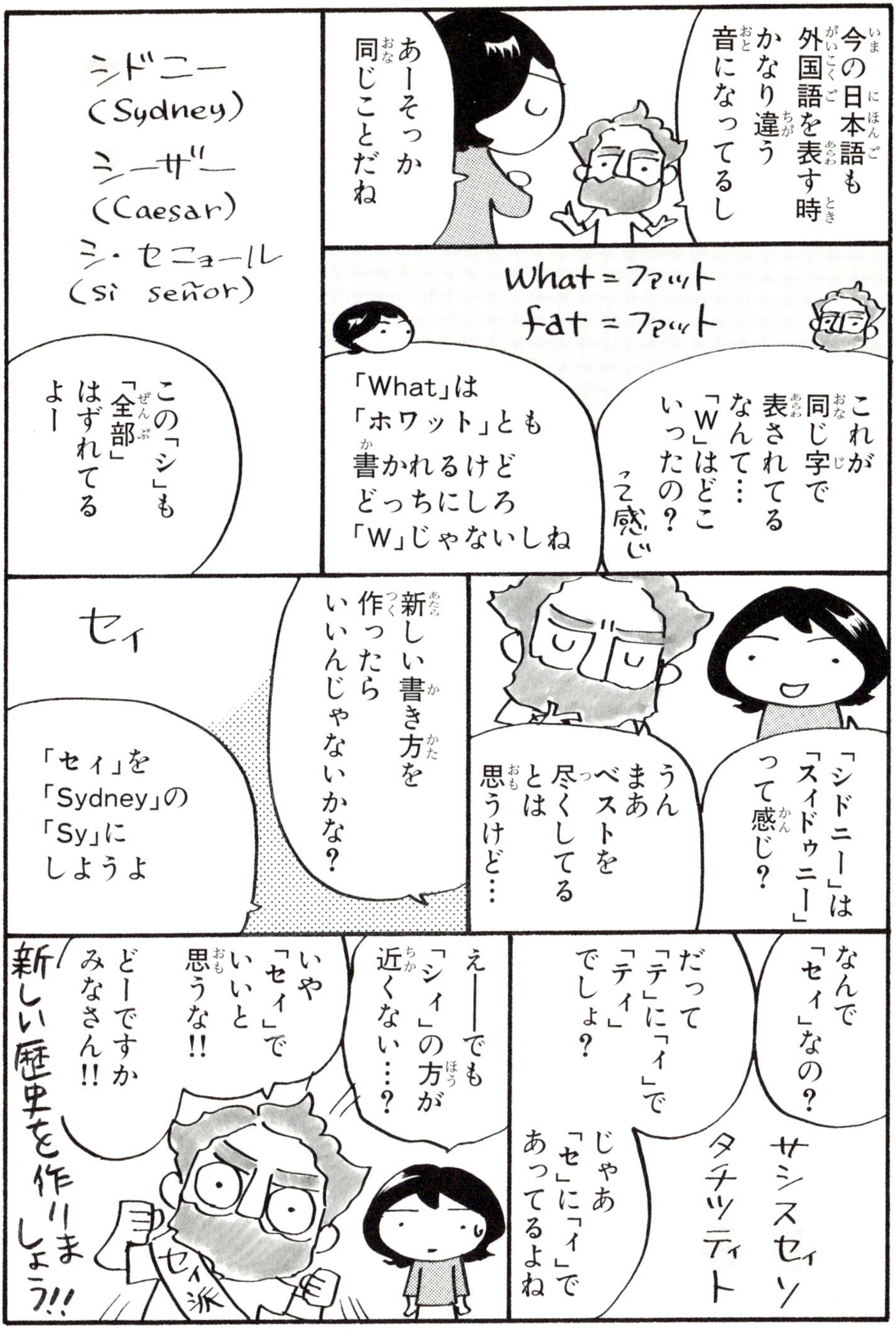
今《いま》の日本語《にほんご》も外国語《がいこくご》を表《あらわ》す時《とき》かなり違《ちが》う音《おと》になってるし
あーそっか同《おな》じことだね
シドニー
(Sydney)
シーザー
(Caesar)
シ・セニョール
(si señor)
この「シ」も「全部《ぜんぶ》」はずれてるよー
What＝ファット
fat＝ファット
これが同《おな》じ字《じ》で表《あらわ》されてるなんて…「W」はどこいったの？って感じ
「What」は「ホワット」とも書《か》かれるけどどっちにしろ「W」じゃないしね
「シドニー」は「スィドゥニー」って感《かん》じ？
うん まあ ベストを尽《つ》くしてるとは思《おも》うけど…
新《あたら》しい書《か》き方《かた》を作《つく》ったらいいんじゃないかな？
セィ
「セィ」を「Sydney」の「Sy」にしようよ
なんで「セィ」なの？
だって「テ」に「ィ」で「ティ」でしょ？
サシスセィソ
タチツティト
じゃあ「セ」に「ィ」であってるよね
えーーでも「シィ」の方《ほう》が近《ちか》くない…？
いや「セィ」でいいと思《おも》うな!!
どーですかみなさん!!
新しい歴史を作りましょう!!
セィ派

脱ローマ字のすすめ

韓国語と日本語はそれぞれの文字で表せない音がある。しかし、これはもちろんこの二つの言語に限ったことではない。日本語の「ら行」は英語の「R」と「L」とのどっち付かずで、曖昧なものだとよく言われる。しかしそれはちょっと変な話ではないか。日本語の「ら行」ははっきりしており、たまたま一部の言語では、その言語の限界のせいで、表せないだけだ。「ら行」をはじめ、日本語の音に関して言えば、日本語と別の言語の間にズレがあるというならば、外れているのはもちろん向こうのほうだ。

ちなみに、かなを勉強せずにローマ字だけで日本語を覚えようとする人がいる。それでは聞き苦しい癖が付いてしまう。周りにそのような人がいたら「脱ローマ字」を勧めてほしい。日本語の会話がきれいに発音できたら、次に歌に挑戦するのもいい。ただ、曲によってかなで言い表せるかどうか、疑問。特に、桑田佳祐や元ちとせの一部の歌だと、発音記号でないと…。

カタカナハングル

数えるときは

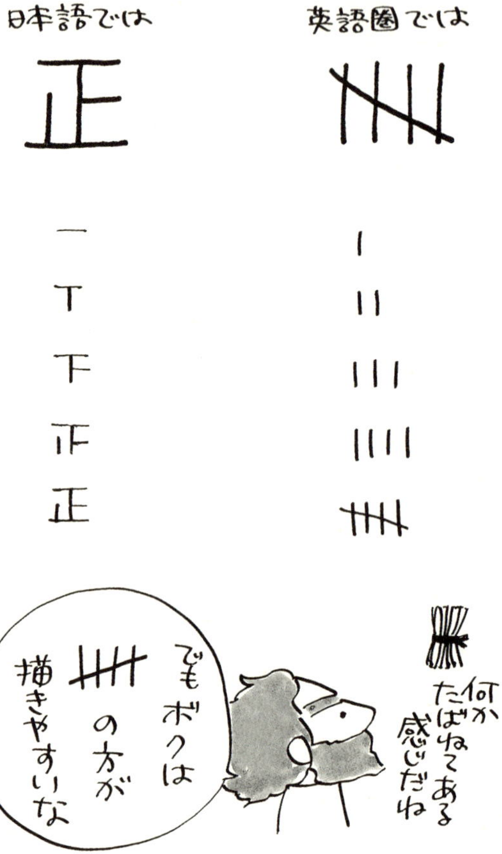

日本語では
英語圏では
正
でもボクは
の方が
描きやすいな
何か
たばねてある
感じだね

vol.14

ワクワク悲しめない理由

Kiru, Cut, Kobo and Cortar

キーン
かき氷《ごおり》食《た》べるとキーンとする…
おっ
ちょっとそこの人《ひと》…
「かき氷《ごおり》食《た》べて頭《あたま》がキーンとする」の「キーン」って英語《えいご》で何《なん》て言《い》う?
なにそれ
キーンとなんてしないよ
するよー!!
しかし…
もう食べさせられない…
空っぽ
海外《かいがい》でもかき氷《ごおり》は食《た》べるけどそんなこと言《い》わないよ

そもそも英語《えいご》ってあまり擬音語《ぎおんご》・擬態語《ぎたいご》がないんじゃない？
日本語《にほんご》よりずっと少《すく》ないけどあるよ
ただパッと思《おも》いつくのは動物《どうぶつ》の鳴《な》き声《ごえ》や幼稚《ようち》な言葉《ことば》かな
かえる
ribbit
ribbit
言語によって少しずつ違うんだよねえ
2回《かい》繰《く》り返《かえ》す言葉《ことば》は子《こ》どもっぽく感《かん》じることが多《おお》いから大人《おとな》はあまり使《つか》わないんだよね
zig-zag なんかは例外だけど
fuzzy - wuzzy
(柔《やわ》らかな毛《け》で)フワフワ
antsy - pantsy
(ズボンの中《なか》にアリが入《はい》って)落《お》ち着《つ》きがない
clippety - clop
(馬《うま》が走《はし》る音《おと》)パカパカ
それから英語《えいご》では動詞化《どうしか》・名詞化《めいしか》してしまっていて擬音語《ぎおんご》・擬態語《ぎたいご》だと気《き》づかずに使《つか》ってる場合《ばあい》もある
babble(ぺちゃくちゃ言《い》う)
mumble(もぐもぐ言《い》う)
grumble(ぶつぶつ言《い》う)
日本語《にほんご》は「言《い》う」にくっつけてるからわかりやすいよね
こういう単語《たんご》は動詞《どうし》になってしまってる

2回《かい》繰《く》り返《かえ》すのも
日本《にほん》では
子《こ》どもっぽいとは
思《おも》われてないし
むしろ繰《く》り返《かえ》したい
って感《かん》じじゃない？
名前《なまえ》も時々《ときどき》
繰《く》り返《かえ》して
愛称《あいしょう》にするよね
私「オグオグ」って
言われたりしてたよ
しかし考《かんが》えてみれば
どんな言葉《ことば》も擬音語《ぎおんご》・
擬態語《ぎたいご》から生《う》まれてると
思《おも》わない？
例《たと》えば
「ゆれる」
から
「ゆらゆら」
なんじゃなくて
ゆらゆら
「ゆらゆらする
もの」から
「ゆれる」に
なったと
考《かんが》える方《ほう》が
自然《しぜん》じゃ
ないかな
この世界《せかい》にある
物《もの》だって様子《ようす》だって
それをマネて
伝《つた》えたりしたのが
言葉《ことば》の始《はじ》まりだと
思《おも》うんだけど…
わかりやすい
例《れい》で言《い》えば
「くしゃみ」とか
「げっぷ」みたいに
変化したのも
あるけどさ
それも
擬音語《ぎおんご》
かー!!
そういえば
ガーん

じゃあ英語《えいご》では「cough」（せき）がそうかな？
laugh（笑う）も gargle（うがい）も そうだね

だからボクは「音《おと》」と「意味《いみ》」にも関係《かんけい》があると思《おも》う

英語《えいご》では「SL」という組《く》み合《あ》わせが入《はい》った言葉《ことば》はよくない意味《いみ》が多《おお》いんだよ
SLIP（すべる）
SLIME（ねばねばしたかたまり）
SLUG（なめくじがはう感《かん》じ）
SLUMP（スランプ）
SLASH（ナイフでサッと切《き》る）
例外はあるけど
日本語《にほんご》で「SL」の組《く》み合《あ》わせは悪《わる》い意味《いみ》ってわけじゃないけど「すべる」とか「こする」ようなイメージかな？
すらっ すらすら
すり すりすり
する するする
すれすれ
また
stab（刺す）
grab（つかんでとる）
jab（ジャブ）
この「ab」の音《おと》は「突然《とつぜん》素早《すばや》く起《お》こってバン！と終《お》わる動作《どうさ》」という感《かん》じ
「ab」を「y」に変《か》えたら「継続《けいぞく》してる」感《かん》じになる

「切《き》る」って単語《たんご》もいろんな言語《げんご》で「K」の音《おと》が使《つか》われてるし
kiru
(日本語)
cut
(英語)
kobo
(ギリシャ語)
cortar
(スペイン語)
などなど
そして英語圏《えいごけん》でこんな実験《じっけん》をしてる人《ひと》もいる
「MAL」と「MIL」
これは造語《ぞうご》です。「大《おお》きなテーブル」と「小《ちい》さなテーブル」を意味《いみ》しています。さてどちらがどちらを意味《いみ》するか想像《そうぞう》してください。
結果《けっか》80%以上《いじょう》の人《ひと》の答《こた》えがコレ
「MAL」
大きなテーブル
「MIL」
小さなテーブル
んー? それって今《いま》まで使《つか》ってきた言葉《ことば》によってイメージが形《かた》づくられているんじゃないの?
そう言《い》う人《ひと》もいるでもいくつかの言語《げんご》で同《おな》じような実験《じっけん》を続《つづ》けていてやっぱり「傾向《けいこう》」はあるみたいなんだよ
だって
「カツン」は硬《かた》い物《もの》がぶつかる音《おと》「シュッ」は何《なに》かが早《はや》く移動《いどう》する音《おと》…そういう感覚《かんかく》はたいてい共通《きょうつう》してるよね?

ゆら ゆら
は
かつ かつ
にはならない
今使《いまつか》っている言語《げんご》は「偶然《ぐうぜん》」ではなくてこうなる「運命《うんめい》」だったんじゃないかと思《おも》うんだ
さだめだね…
ココがpoint
方法《ほうほう》は違《ちが》ってもどの言語《げんご》も自然《しぜん》から言葉《ことば》をつくっている
ねー「かき氷《ごおり》アイス」っていうの買《か》ってきたよー
これでキーンとしよう!!
ガリ
早《はや》く!!
なるべく急《いそ》いで!!
ガリ
舌《した》が!! アゴが!!
頭《あたま》じゃない!!
あーっ
あれ? 私《わたし》もアイスじゃ痛《いた》くなんない
フワフワのじゃないとダメなの!?
ガリガリじゃダメ!?
ショリショリでは!?

気になる「魅力的な名前」

「英語の名前の響きが、外見への評価につながるかもしれない。」と、米国の若手学者が主張している。女子の場合、「ローラ」や「スーザン」は「良い名前」にあたるという。強く発音されている部分(たとえば、スーザンの「スー」)には後舌母音(たとえばア、ウ、オ)があるからだ。一方、「アグネス」や「ベス」などは「よくない名前」になる。強く発音されている部分には前舌母音(イ、エあたり)があるからだ。男性の場合、方式が逆だ。男にとって「良い名前」は、前舌母音が含まれる「ビル」や「ジム」などが挙げられる。逆に、「ドン」や「ルーク」は魅力に欠けているということになる。

本当に、名前が他者からの評価に影響を及ぼすとしても、それはかなり微量なものだろうと思う。だって、マリリンもブリトニーも「だめ名前」だ。あれだけの女性を狂わせたビートルズの4人の内の3人(ジョン、ポールとジョージ)もそうだ。それになんと、僕もだめ派。いや、どうかしているね、この仮説。

vol.15
シンデレラの秘密

Cinderella's Secret

私《わたし》たちの姪《めい》
かのこ
むちゃくちゃ元気
もうすぐ 2歳
かんぴょー〜
(かんぱい)
口《くち》グセは「もっと」
最近「もうちょっと」も
おぼえたらしい
BOOKS
絵本《えほん》でも
あげよう
かな
そうだ
英語《えいご》の
本《ほん》も
いいかも……
ん…?
こっ
これは…
Little Red
Riding Hood
赤《あか》ずきん
ちゃん!!

なぜかわからないけど
こういう帽子《ぼうし》を
「riding hood」
って言《い》うんだよね
実際 こんな
柔らかい帽子で
馬に乗らない
と思うけど
こんな
小さい子だし
トニーなんで
「riding」なの？
あー
アメリカに伝《つた》わる前《まえ》のドイツやフランスでは「赤《あか》ずきんちゃん」はもっと小《ちい》さい帽子《ぼうし》をかぶっているし
こんなのとか
それより古《ふる》いイタリアの話《はなし》では帽子《ぼうし》もかぶってないようだけど
イタリア語の原題
La finta nonna
「ニセモノばあちゃん」
こんなのも ある
これ…
「ロビン・フッド」って
言《い》ってるけど
「フード」だよね？
Robin Hood
同《おな》じ「hood」
だからね
でもいろんな説《せつ》が
あるけど
これは名字《みょうじ》だって
いうのが有力《ゆうりょく》だよ
へーえしかし
「hood」って
言《い》えばさぁ…

ふぅん
あれ？そう言《い》えば…
Cinderella
「シンデレラ」ってどういう意味《いみ》？
Cinder ella
灰《はい》
女性化《じょせいか》する接尾辞《せつびじ》
この「灰《はい》」はかまどなんかの「灰《はい》」
つまり「灰まみれちゃん」
灰《はい》!?
私《わたし》もっとキレイなイメージだと思《おも》ってたよ！
それはたぶん響きが「シャンデリア」に似てるから!!
でもそう言《い》えば「灰《はい》かぶり姫《ひめ》」って和訳《わやく》のタイトルも見《み》た覚《おぼ》えあるけど!!

ところで「シンデレラ」といえばどこの国《くに》のお話《はなし》だと思《おも》う？
うーん 目《め》に浮《う》かぶのはディズニーの絵柄《えがら》だが…
いや一般的《いっぱんてき》にはフランスだと言《い》われてるんだよ
ところが!!
この辺からオタクが輝きだす
それより古《ふる》くにとてもよく似《に》た話《はなし》が中国《ちゅうごく》にあったんだよ!!
中国
インドにもっと古い話があるという説も
そのお話とは…
ある少女《しょうじょ》が継母《ままはは》と娘《むすめ》にいじめられている
ある日《ひ》少女《しょうじょ》は川《かわ》に棲《す》む大《おお》きな魚《さかな》と出会《であ》い世話《せわ》をしはじめる
しかし継母《ままはは》がその魚《さかな》を殺《ころ》し骨《ほね》を埋《う》めてしまう
少女《しょうじょ》はお告《つ》げにより魚《さかな》の骨《ほね》を見《み》つける
大《おお》きなお祭《まつ》りの時《とき》魚《さかな》の骨《ほね》は少女《しょうじょ》のドレスや靴《くつ》に変《か》わる
ワタクシでお送りしています

お祭《まつ》りに出《で》かけた少女《しょうじょ》は王様《おうさま》に見初《みそ》められるが帰《かえ》らなくてはならずその時《とき》に靴《くつ》を忘《わす》れる
あっ
王
靴《くつ》を頼《たよ》りに探《さが》し出《だ》された少女《しょうじょ》は魚《さかな》の骨《ほね》を持《も》って王《おう》に嫁《とつ》ぐ
ねっ、似てるでしょっ
確かに
この中国《ちゅうごく》の話《はなし》がフランスのものより八百年《はっぴゃくねん》くらい古《ふる》いって気《き》づいたのは南方熊楠《みなかたくまぐす》
南方熊楠
彼《かれ》はそれを海外《かいがい》の学会《がっかい》に報告《ほうこく》したんだけどあまり取《と》りあげられなかったみたいなんだよね
かわいそうなくまぐす
でもあまりにも似《に》てるよねボクはこれが原型《げんけい》でフランスに伝《つた》わったんじゃないかと思《おも》うけど
ポルトガルにもそっくりな話があるよ
しかし面白いねぇ…
ちなみに中国版《ちゅうごくばん》にはまだ続《つづ》きがあって…
王様《おうさま》は魚《さかな》の骨《ほね》の力《ちから》を知《し》り欲《よく》を出《だ》しすぎて死《し》んだ

少女《しょうじょ》をいじめていた継母《ままはは》と娘《むすめ》は落《お》ちてきた隕石《いんせき》に当《あ》たって死《し》んだ
隕石!?
ちょっとやりすぎじゃないって、隕石って…
傷ついている
あと靴《くつ》が「ガラス」っていうのはフランス語《ご》での伝《つた》わり間違《まちが》いじゃないかって言《い》われてるんだよ
Vair（リスの革）
↓
verre（ガラス）
同じ発音なんだね
これは今《いま》も論争《ろんそう》が続《つづ》いてるんだけどね!!
キラ
キラ
キラ
ん？ しかし英語《えいご》では「Glass Slipper」…スリッパ？
Slipさせて(すべらせて)履《は》くものはSlipperなんだよね
こういうの
あー昔《むかし》「スリッポン」（スリップオン）って言《い》われてた靴《くつ》と同《おな》じかー
「金《きん》の靴《くつ》」や「金《きん》の指輪《ゆびわ》」だったって説《せつ》もあるし
「金《きん》ずきんちゃん」って物語《ものがたり》もあるんだよ
あっ
昔《むかし》本当《ほんとう》に中国《ちゅうごく》南部《なんぶ》に隕石《いんせき》落《お》ちてた!!
もう書《か》ききれません…

赤ずきんちゃんの両親ってひどい

甘やかしてくれる優しいおばあちゃんの家には、子どもを食べるのが大好きな狼が潜んでいる。ときにはおばあちゃんを装っている。子どもがわくわくするはずだ。バージョンによって、狼（場合によっては化け物）は、自分が食べ残したおばあちゃんの耳や歯など体の一部を、赤ずきんちゃんに食べさせてしまう。…なんということか。

しかし、この童話を大人になって読み返すと、子どものころの自分はなんと素直だったんだろうと思う。だって、気になる点が多すぎる。赤ずきんちゃんはそもそもなぜ赤いずきんなのか。狼がウロ付いている森の中では、目立たない緑と茶色の洋服でいこう。いや、軍服姿がいいかもしれない。そして、小さな女の子に一人で、危ない森の奥まで送りこむのは一体どんな親なのか？子どもを大切にしないばかりか、具合の悪いおばあちゃんを一人暮らしにするのも親不孝だ。どうしても「核家族」にこだわるなら、おばあちゃんにせめて森の手前側に引っ越してもらおうではないか。

vol.16

これって何ていう？

There ought to be a Word for It

いたたたた…
どしたの？
文字《もじ》を書《か》きすぎて腕《うで》がつったの
これって日本語《にほんご》で何《なん》て言《い》う？
「腕《うで》がつった」
いやひとことで！英語《えいご》なら writer’s cramp って言《い》うんだけど
んーあるのかな？
※「書《しょ》痙《けい》」という言葉があるようです
訳《やく》しにくい言葉《ことば》っていっぱいあるよね
逆《ぎゃく》に日本語《にほんご》の「ペンだこ」や「貧乏《びんぼう》ゆすり」は英語《えいご》にはないし

「貧乏《びんぼう》ゆすり」って英語圏《えいごけん》では嫌《いや》がられてないの？
うーん少《すく》なくとも「貧乏《びんぼう》」とは思《おも》われてない「カタカタ」って音《おと》を出《だ》したらそれが気《き》になるかも知《し》れないけど
カタカタ
あと「身柄《みがら》」がよくわかんない「身柄《みがら》を拘束《こうそく》する」って何《なん》でこんな言《い》い方《かた》するんだろ？
本人《ほんにん》の意思《いし》にかかわらず「肉体《にくたい》」だけって感《かん》じだね
イヤー
でも「肉体《にくたい》」として訳《やく》しちゃダメだし…
そういう「感覚《かんかく》」としてわかってるけど口《くち》で説明《せつめい》できない言葉《ことば》もあるね
「あえて言《い》う」の「あえて」も難《むずか》しいよー
「なんとなくはつかんだ時便利だと思ったけど
でもまぁなんといってもコレ!!
ちゃんと
あーっ難《むずか》しそーっ

「ちゃんと」っていうのは共通《きょうつう》の常識《じょうしき》がないと使《つか》えない言葉《ことば》なんだよね
「proper」として訳せる場合はあるけど
確《たし》かに「ちゃんとしなさい」なんて訳《やく》すのすごく大変《たいへん》そう
それは「proper」ではムリだね
そういえば日本語《にほんご》には「手首《てくび》から先《さき》」や「足首《あしくび》から先《さき》」を表《あらわ》す言葉《ことば》がないよね？
あーやっぱり手《て》が痛《いた》い…
うーん「手《て》」かな？
でも「手足《てあし》」って言《い》えば「腕《うで》」も入《はい》るでしょ？
英語《えいご》ではきっぱり分《わ》かれてるんだよ
leg
arm
foot
hand
なんで日本語《にほんご》にはそういう言葉《ことば》がないんだろ？
さぁ…でも英語圏《えいごけん》では昔《むかし》からよく足《あし》で長《なが》さを測《はか》るんだよね
five feet（5足分）とか

なるほどねぇ
日本語《にほんご》でもこうして手《て》を握《にぎ》ると「こぶし」とか「げんこつ」でしょ?
なんか意味《いみ》が生《う》まれてくるって思《おも》われたからかな?
逆《ぎゃく》に大《おお》ざっぱな分《わ》け方《かた》で不思議《ふしぎ》なものもあるよね
「熱《あつ》い」と「辛《から》い」が同《おな》じ「hot」なのも変《へん》だと思《おも》う
特に米語でいうけど
確かにちがうーっ
辛い
熱い
タバスコ
日本語《にほんご》では「つらい」と「からい」が同《おな》じ「辛《から》い」で表《あらわ》されるけど
からい
つらい
似《に》た感覚《かんかく》だと思《おも》われたのかなーっ
↑昭和初期か
ココがpoint
大切《たいせつ》に思《おも》うことが違《ちが》えばつくられる単語《たんご》も違《ちが》ってくる

単語《たんご》だけじゃなくてコミュニケーションのとり方《かた》も違《ちが》ってくると思《おも》うんだけどね
例《たと》えば隣《となり》の部屋《へや》の人《ひと》がバンドの練習《れんしゅう》でもやっててうるさかったとする
で カベを叩《たた》いて文句《もんく》をいうならなんていう？
うるさい!!
または
静《しず》かにして!!
かな
ドンドン
英語《えいご》では
ドンドン
Think you can play a little louder !?
(もう少《すこ》し大《おお》きな音《おと》で演奏《えんそう》できないのか!?)
あー皮肉《ひにく》ね日本《にほん》ではそんなに言《い》わないね
日本《にほん》で多《おお》いなと思《おも》うのは遠《とお》まわしな「お断《ことわ》り」
何《なに》かを交渉《こうしょう》してて「それはちょっと難《むずか》しいです」って言《い》ったら「ダメ」ってことでしょ？
うん

わかりにくいよ〜〜
言葉《ことば》通《どお》りに受《う》けとれば「少《すこ》し問題《もんだい》がある」だけでしょ？「ダメ」どころかむしろ「難《むずか》しい」のが「ちょっと」なら大丈夫《だいじょうぶ》かって思《おも》っちゃうよ
さすがのポジティヴシンキングっすね!!
ポジティヴといえば英語《えいご》で「お金《かね》がない」「意見《いけん》がない」って言《い》う時《とき》こう言《い》うでしょ？
I have no money.
I have no idea.
「ない」のにまだ「have」って言《い》い張《は》るってどこまでポジティヴ志向《しこう》なのかと思《おも》うよ
確《たし》かにね だから「満足《まんぞく》してない」ってことを歌《うた》ったローリングストーンズの「I can’t get no satisfaction」みたいに二重否定《にじゅうひてい》したくなるのかも
英語の文法としては間違ってるけど
そういえばトニー手《て》治《なお》った？
ええおかげさまで
それも訳《やく》せない言葉《ことば》だね!!

世界一翻訳しにくい言葉

ルバ語の「イルンガ」が世界で最も翻訳しにくい言葉だ。翻訳者の意見を収集したイギリスの会社がそう発表した。「イルンガ」の意味は、「一度目はどんな悪口でも許し、二度目には我慢し、三度目は決して許さない人物」だという。面白い話題なので大きく報道された。ルバ語が使われているコンゴ共和国の日本大使館に確認してみた。「イルンガ?人の名前だよ」と言われた。そういえば、「イルンガ」とはルバ(現在のコンゴ)の最初の王の一人だ。「三度目は許さない」とは彼の性格を言っているかもしれない。だが、二人のコンゴ大使館員に聞いても、人名以外での「イルンガ」の意味は知らないという。

いずれにしても、翻訳会社はちょっとずるい。人名では、いくらでも「訳しにくい言葉」は作れるのだ。日本語だと、「イチロー」を「返球も強く、盗塁もでき、メジャーでの安打新記録をつくった男」と定義づけできる。そして「ヒロシ」とは「元ホストで、カンツォーネをBGMにして熊本弁で自虐ネタを一人で披露するコメディアン」。いやいや、これではキリがない…。

vol.17
名前について
The Trouble with Names

うーむ…
どしたの？
英字新聞《えいじしんぶん》に載《の》る時《とき》はどうしても私《わたし》の名前《なまえ》が「Saori Oguri」になるんだよねー
イヤなの？
イヤでもないけど私《わたし》の名前《なまえ》は「Oguri Saori」が正《ただ》しいとは思《おも》う
日本では外国人の名前を「姓」「名」の順に直したりしないし
Saori Oguri
Cartoonist
だから自分《じぶん》の本《ほん》では名前《なまえ》をローマ字表記《じひょうき》する時《とき》は「Oguri Saori」にしてもらってるの
oguri・saori
そういえばそうだね

でも日本《にほん》での外国人《がいこくじん》の名前《なまえ》もなかなか難《むずか》しい問題《もんだい》があって
まず一《ひと》つは本当《ほんとう》の名前《なまえ》と日本語《にほんご》の表記《ひょうき》がズレる場合《ばあい》があるってこと
例《れい》
Ludwig van Beethoven
↓
ルートヴィヒ ヴァン ベートーヴェン
「Ludwig」の「g」が表現できなくて「ヒ」になったり「van」や「ven」はなぜか英語読みだし
もう一《ひと》つは
例《たと》えば このベートーヴェンさんが日本人《にほんじん》と結婚《けっこん》してその子《こ》どもが日本《にほん》のパスポートをとったら…
親のベートーヴェンさんの表記は
Surname
van Beethoven
Given name
Ludwig
でも子《こ》どもは
同じ名前にしたとして
署名欄は↓
ルートヴィヒ ヴァン ベートーヴェン
Surname
ban Betoben
Given name
Rutobihi
↑
日本語をヘボン式ローマ字に変換するという決まり
親《おや》
Ludwig van Beethoven
子《こ》
Rutobihi ban betoben
名前《なまえ》が違《ちが》ってきちゃうんだよ
これも「正《ただ》しくない名前《なまえ》」って思《おも》うだろうね

※トニーからの注意
子どもの名前を親と同じローマ字にするには、その通りに表記してもらえる病院、助産施設などで出産すればいいと聞いている。
子どもの名前は正式にこうだ、と、役所に持って行くのに必要な証拠になるらしい。

どうせ「正《ただ》しくない名前《なまえ》」になるのなら好《す》きな名前《なまえ》にしたらいいと思《おも》わない？
例《たと》えば？
漢字《かんじ》に自分《じぶん》の名前《なまえ》の音《おと》をあてるのもそうだけど…
ベートーヴェン ルートヴィヒ
塀飛《べいとべ》 流人《るうと》
“夜露四苦”に似る時もあるっ．
「音《おと》」じゃなくて「意味《いみ》」をもってきてもいいし
例《たと》えば「ヴィーナス・スミス」さんがいたとして
Venus Smith
日本語《にほんご》では「V」と「th」の音《おと》が表《あらわ》されてないからヘンな気持《きも》ち…
Venus＝金星《きんせい》
Smith＝(鍛冶《かじ》)職人《しょくにん》
なのね
私《わたし》のこと今日《きょう》から「鍛冶金星《かじきんせい》」って呼《よ》んでね！
って言《い》われたらどう？
うーん いいんじゃない？
その人が日本国籍とっても その名前で「よさそうだし

ちなみにボクも中国語《ちゅうごくご》の名前《なまえ》持《も》ってるんだけどね
ええっ!?
コレ
鶴倚松《ホイソン》
ボクの本来《ほんらい》の名前《なまえ》とは無関係《むかんけい》なんだけど自分《じぶん》で漢字《かんじ》の意味《いみ》や音《おと》をよく考《かんが》えてつけたんだよ
気に入ってるんだ
それは海外《かいがい》にいる日本人《にほんじん》が「チャーリー山田《やまだ》」とか愛称《あいしょう》つけるのと一緒《いっしょ》？
届け出してるわけじゃないよね？
届《とど》けは出《だ》してないけど中国語圏《ちゅうごくごけん》の友達《ともだち》はみんなそう呼《よ》んでくれるよ
中国語圏《ちゅうごくごけん》では「トニー」って名前《なまえ》は「東尼《トニー》」と書《か》くことになってるんだよそれがイヤだったからねー
イヤだったからねーってみんなそんなふうに自由《じゆう》につけてたらややこしいことになるでしょー
そうかなぁ？アメリカでは結構《けっこう》自由《じゆう》な州《しゅう》もあるよ
結婚《けっこん》する時《とき》お互《たが》いの名字《みょうじ》を交換《こうかん》してもいいとかもっとすごいのは…

二人《ふたり》の名字《みょうじ》をくっつけて新《あたら》しい名前《なまえ》を作《つく》れたりするんだよ今《いま》流行《はや》ってるみたい
もちろん届ければそれが正しい名前
例《れい》 oguri と laszlo なら
oguri-laszlo
（オグリ ラズロ）
ogulaszlo
（オグラズロ）
laszguri
（ラズグリ）
ogulo
（オグロ）
いるよオグロって日本人で小黒さん
特《とく》に混乱《こんらん》は起《お》こってないと思《おも》うけど…？
えーでもそんなの戸籍《こせき》とかややこしいじゃない…
はっ
あーアメリカには戸籍《こせき》ないもんね
戸籍ある国の方が少ないけど
そこになんか感覚《かんかく》の違《ちが》いが発生《はっせい》するのかも…
戸籍ないチーム
戸籍あるチーム

まぁ結婚《けっこん》の時《とき》とか アルファベット圏《けん》と 漢字圏《かんじけん》で 移動《いどう》した時《とき》とか
一度《いちど》くらいは 変更《へんこう》のチャンスが あってもいいと 思《おも》うよ
ひんぱんに やっちゃ さすがに 困《こま》るけどね
ところで私《わたし》の名前《なまえ》が 「Oguri Saori」でなくて 「Saori Oguri」に なる件《けん》なんだけどさぁ…
歴史上《れきしじょう》の人物《じんぶつ》は 「姓《せい》」「名《めい》」を ひっくり返《かえ》さないことが あるらしいよ
織田信長《おだのぶなが》
ODA Nobunaga
↑
すべて大文字で 書いてある方が 名字という 決まりもある
私《わたし》が もっともっと 頑張《がんば》って 歴史《れきし》に 名《な》を残《のこ》したら…
「OGURI Saori」って 書《か》かれるように なるかも!!
頑張ってみるか!!
それが成功《せいこう》 したとしても 何百年《なんびゃくねん》も後《あと》 でしょうけどね…

僕を表す日本語名って？

ハンガリーには、息子に父親の名前を付ける伝統がある。僕の場合、父親も祖父も、僕とまったく同じ名前だ。そう、アニメの「ルパン・ザ・サ〜ド」と同じように、僕は、「三世」である。名前を受け継いでいると、自分だけのものではないからか、なんとなくそれを大切にしたい気持ちが湧いてくるような気がする。

もしも日本国籍を取得したら、新しい名前をとらなくてはならない。元の名前の当て字を作る手もあれば、その意味を表す手もあるが、そのいずれもしていない人もいる。ラフカディオ・ハーンはその一人。日本人になった彼は、「白い島」を意味する生地レフカダ島から、「ラフカディオ」と命名されたが、それと全く関係のない「八雲」に改名した（注）。僕も、可能ならば、ただ「自分にふさわしい」と思う姓名に決めたい。元の名前を日本語で表そうとしないことも、それへの尊敬の念を表す方法の一つだろうと思う。元の名前を表すのもいいが、その人そのものの個性が表されるかどうかが、より重要ではないだろうか。

（注）「小泉」とは奥さんの姓である。

巻末対談

トニー&言語学者町田健先生

「言葉」を語る。

自他共に認める語学マニアのトニー氏と、言語学の第一人者、町田 健教授による、ちょっぴりディープな「言葉」対談。本編で紹介されてる数々の「言葉の謎」についてもわかりやすくお話しします。白熱のあまり、同席の小栗氏もちょっぴり飛び入り参加してます。

―― 今日は、語学大好き！のトニーさんと語学のプロである言語学者の町田先生に、日本語と英語の違いとその面白さについてお話いただければと思うのですが…。まず最初に、数々の言語について造詣の深いお2人の、好きな言語を教えていただけますか？

トニー 僕は、言葉は音楽のようだと思うんです。好きな言語はたくさんありますが、たとえば広東語。音の響きが好きですね。

町田 僕はフランス語が好きなんです。でもね、言語学者というのは、こういうことを言ってはいけないんですよ（笑）。言葉の本質は、意味を伝えることでしょう？ ならば、同じ意味をいろんな言語で伝えられるということは、言葉の本質は同じ…ということを私の大好きなソシュール【註】は言ってるんですよ（笑）。一応、そういう立場で分析を進めなければならない。難しいところですね。

―― 日本語についてはどうですか？

町田 日本語はですねぇ、非常に規則的で素晴らしい言語だと思いますよ。だいたい、動詞の活用も英語なら不規則動詞がたくさんあるじゃないですか。「come」は「came」、「go」は「went」になる。一方の日本語は不規則動詞は「来る」と「する」だけで、カ行変格活用とサ行変格活用の2つしかない。なんて覚えやすい（笑）！ただ、日本語を母国語としない人が日本語を学ぶときには「〜は」や「〜や」といった助詞の使い方は、わ

かりにくいと思います。

トニー　そうですね。あと、「は」と書いてるのに「わ」と読むのは、みんな少し納得しづらいんじゃないかな。僕は日本語を勉強し始めたとき、「日本語はとても単純だよ」「日本語は複雑だからもうやめたほうがいい」と2つのまったく違う助言を受けました。たぶん、そこそこ単純で、そこそこ難しい、ということではないかと思うんですが。

町田　どんな言語もそうですよね。複雑なところもあれば、単純なところもある。ただ、確かに日本語の発音はあまり難しくはないです。強いてあげるならば、この本の中でも紹介されている「ん」の発音でしょうか【P59参照】。

P62「んんん、んん…」より

（トニーさんは）ちゃんと発音していますよね。

トニー　どうでしょう（笑）。

町田　いえいえ。まったく気になりませんよ。でも、英語人には鼻母音を使って話せる人は少ないから難しいでしょうね。そもそも英語には「ん」がない。「ん」というのは専門的に言うとー嫌な話ですが（笑）ー口蓋垂音（こうがいすいおん）の鼻音というんですよ。のどちんこです、のどちんこに舌の奥がついて発音される音なんです。逆に、英語には[n]の音しかないので「反応」と正しく発音するのは難しい、というわけです。あと「全員集合」とか…面倒くさいですね（笑）。

トニー　ぜーいんしゅうごう…なるほど。言いづらいというわけではなくて、音が英語にはあまりないから難しい。

町田　それと同じで、日本人が「pen」と正しく発音するのは難しいですよ。日本人は「ペン」と言うでしょう? 本当は[n]の発音をしなくちゃいけないから「ペン（小さくヌ）」。…でも、まあ、通じますよね（笑）。通じるけど、正しい発音じゃない。

「『と』はずるいけど実はすごく気に入っています」

『「と」はずるい』【P67参照】でも触れられていますが、日本語では「ケーキをあげる…という予定だったんだけど今はムリかな」なんていうような言い方をすることがあります。これは英語と日本語の大きな違いですよね。

町田　日本語は動詞をいちばん最後に、英語は動詞を2番目に言う。動詞は何を表しているかといえば、「どういう事柄なのか」ということですよね。主語も大事なんですが、動詞を言われなければ何が起こっているのか、起こったのか伝えられない。そんな言葉の肝心な部分を英語は最初のほうに言っちゃうわけです。英語と日本語のこの違いは、まさに言葉によって人間がものの考え方に影響を受けているという、ひとつの例かもしれませんね。

トニー　「と」は本当にずるいですよ。これは、尊敬を込めて言っています。かなりすごいものだと思うね。「that」や「which」より使いやすくて、良いとか悪いとかはいいにくいけど、僕は大変気に入っています。

町田　でもね、日本語に「〜かもしれない」というのがありますよね。「これ、おいしいかもしれない」というふうな。英語にはこのように程度を弱める助動詞が「may」とか「can」とか「will」とか、ほかにもいっぱいあるじゃないですか。そうすると英語を喋る人は表現を婉曲させる言葉をうまく使い分けてるんじゃなかろうかと思うんですが、いかがですか？

トニー　うん、それは言葉の楽しいところのひとつです。知的な感じがしますよね。

町田　知的ということは、高級な方法ってことですか？　日常的に「これは『might』にしようか『could』にしようか」とか考えたりしない？

トニー　そういうのをうまく使える人は、コミュニケーションの上手な人。必需品ではないですね。むしろ僕は日本語のほうが特徴的だと思うんです。たとえば「雨が降って…いたけど、今は違う」と言える。最後にコミットするというのがポイントですよね。

P72「『と』はずるい」より

町田　そういう日本語のような語順だったら、韓国語もそう。日本語と同じような語順の言語のほうが多いはずですよ。英語や中国語のような「S（主語）・V（動詞）・O（目的語）」が4割、日本語と同じような語順が5割、あとはいろんな語順が1割というような割合でしょうか。

トニー　5割も?!　ええっと、トルコ語でしょ、モンゴル語…。

町田　満州語もそう。でもフィンランド語は違いますよね。あとはファルシー語、ラテン語、ベンガル語かな？

マニアックな話になってきましたね。トニーさん、目がキラキラしてますよ（笑）。

受け身をなるべく使わないという美学

町田　そういう細かい、私も名前を知らないようなアフリカの言葉なども入れて、日本語と近い語順の言語は世界で5割くらいだろうと。もちろん喋っている人の数からすれば英語と中国語が一番多いから、「S・V・O」で喋ってる人間は多いでしょうが。

町田　『「私たち」の好きなあいまい』【P93参照】にもありますが、英語の受け身は、「殺される」や「食べられる」という他動詞しか言えないのに対して、日本語はなんでも言えるんです。「先に行かれちゃった」とか。あと受け身じゃないけど象徴的なのは「お釣りは○○円になります」とかね。非常に不思議ですよね。

（飛び入り参加）小栗　その根本には日本人は責任をとらないってところがあると思うんです。私自身、文章を書くとき、たまにそういう文章に助けられるんですが、それが日本人の気質と繋がっているようなね、特に役所とか、責任を取ったら大変なことになるところでは、こういうものの言い方をするから物事が進んでいかないというか。新しい風が吹かない。

トニー　なぜ英語では受け身がそんなに見られないかというと、それは言語と関係があるというよりは、むしろ習慣とか考え方と関係があるんじゃないでしょうかね。受け身はあんまり使わないほうがいいという美学があるというか、考え方があるんですよ。

町田　それはあるといわれますよね。学校でも言われるんですよね？

トニー　学校でも言われますが、文章を書く人はさらに意識してるんじゃないでしょうか。でも、「受け身を使わない」ということは、同時に「能動的にものを言う」という美学も働いている。「私は○○ですが、あなたはどうですか？」というような会話をすることがあるんですね。

町田　これはたぶん、言葉というより、ものの考え方でしょうね。会議のときとかでも欧米ではちゃんと意見する人が多いですし。

トニー　英語だと、受け身を連続して使うのは不自然なので、日本語の受け身言葉のようにうまくは

P99「『私たち』の好きなあいまい」より

逃げられない。でも、受け身が許される環境ではどうしても出てきますよね。日本では自分の意見を言うということは大事ではない？

町田　日本ではあまり言いませんよね。授業でも、アメリカでは先生に対してたくさん質問をしているように見えますが、日本人は「質問したまえ」と言われても誰もしない。「バカだと思われるから嫌」と言うんですよね。実はフランス人もよく似てるんです。受け身を使うというのは、実際に動作を行う人を主語として表現しないというのが大事でしょう？　フランス語は英語と同じで、構文としては受動態もあるけど、あまり使いすぎないようにしているんですよね。ところが「on」（代名詞：人、人々、誰かが）というのを使えば、それこそ「on yva」とか…「va」というのは「行く」という動詞で、自動詞だから受け身にならない。そういうふうにして誰のことなのかを曖昧にする。

「ジ」と「ザ」は「は」と「が」に通じる？

町田　『「The」の真実』【P15参照】なんですが、ここに書いてあるとおり、実際の場合は母音の前は「ジ」で、子音の前は「ザ」ということではないんですよね。強調するかしないかの違いだけで、丁寧に一語ずつはっきりと読みたいときは「ジ」と言いますよね。冠詞は独自のアクセントがないので軽く、強く言わないのが普通なので、そういうときには「ザ」と言います。冠詞のない言葉を喋ってる人間にとって「the」をつけるかつけないかの判断は難しいですよね。それと同じで、日本語の「は」と「が」の違い、英語の冠詞と不定冠詞の違いというものは、ある程度似たところがあると思うんですけど。「東京へ行ったこと“は”ありますか」「行ったこと“が”ありますか」というやつですね。

トニー　「は」と「が」…今でも苦労しています。

町田　似たところはあるんだけれども、外国語となると区別がつきにくくなるんですよね。冠詞はね、喋るときは「少しくらい間違ってもいいや」と気にしないでつけない人もいますが、やっぱり論文とかを書くときには苦労する。日本人はなぜか「the」をつけたくなるんですよね。むしろ「the」をつけない場合を注意しなくてはいけないんですけども。

P17「『THE』の真実」より

——それはどういう場合ですか？

町田　どうでもいい場合です。「公園には木があります」というときは「there trees」でいい。どの木でもいいわけですから。…なんていうのは、いちいち頭で考えて選ばないといけない（笑）。苦労しますねぇ。でもネイティブの人はそんなことないでしょう？小さな、英語を覚えたての3歳くらいのときでも冠詞を間違えるということはないと、私の想像では思うんですけど。

トニー　うーん。たしかに思い浮かばないですね。

小栗　でも、日本語だったら2歳くらいの子だと間違えるよね。「今日は天気だったね」って過去形で喋るけど今現在だったりとか。「今、出して」と言いたいのに「今、出せたい」とか活用を間違っちゃったりとか…。間違えるそのたびに直されるから、だんだんうまくなるのかなって。

トニー　はぁぁ。子供がとてもうらやましい…。いくら間違っても大人のようにからかわれたり笑われたりしないから。人間は、歳を取れば取るほど言葉を学ぶことが難しくなると言うけれど、子供として扱ってくれないというのも、ひとつ原因じゃないかな。子供と同じように間違いを許されて、何度も聞き返すことができれば、もっと早く学べるのに…。

小栗　それって「二つ目の言語を学ぶときには子供として扱ってくれ」ってこと（笑）？

町田　でも、そのようになれば、きっと上達できると思いますね。

トニー　あと、「言葉を好きになる」ということ。いちばん大事なのは、コレじゃないかな。

【註】ソシュール
フェルディナン・ド・ソシュール／1857～1913年。スイスの言語哲学者。「一般言語学講義」（小林英夫・訳／岩波書店）でのソシュールの理論は構造主義言語学の原点といわれ、言語学にとどまらず文化人類学や社会学、精神分析学などの分野にも大きな影響を与えた。

文・岡田芳枝　写真・川口宗道

ダーリンの頭ン中 英語と語学

2005年3月13日 初版第1刷　発行
2005年4月29日　　　第5刷　発行

著　者　小栗左多里 & トニー・ラズロ
発行者　近藤隆史
発行所　株式会社メディアファクトリー
〒104-0061
東京都中央区銀座8-4-17
TEL 0570-002-001
印刷・製本所　株式会社　廣済堂

定価はカバーに表示してあります。

乱丁本・落丁本はお取替えいたします。

ISBN 4-8401-1226-6 c0095

初出　2003年8月号〜2004年12月号　『ダ・ヴィンチ』（メディアファクトリー刊）掲載
　　　2004年6月号、10月号　『My vodafone Magazine』（関東・甲信越版）掲載

ブックデザイン　篠田直樹（bright light）
DTP（株）明昌堂
編集　松田紀子（メディアファクトリー）

実情

トニー 漫画の合い間に入れる「小ネタ」がいるんだけど…好きな言葉とかカンタンで息抜きになるようなもの…
わかった考えるよ
ねー中国には「女書《なんしょ》」っていうのがあって女の人はこの書き方しかしちゃダメだったっていうのはて、
面白いけどもっとくだけた感じのがいいよ
英語で一番つづりの間違いやすい単語とかはて、
いや それもいいけど今回はもっと日常の何気ないネタがいいの
「Zzyzx Road」って名前の道があるとか～ヘンな名前だね
あっ「歌詞の聞き間違い」にも名前がついてるんだよ～
だーからマジメすぎんだってば!!
オチもないほどに!!